#교과서×사고력
#게임하듯공부해
#스티커게임?리얼공부!

Go! 매쓰
초등 수학

저자 김보미

- 네이버 대표카페 '성공하는 공부방 운영하기' 운영자
- '미래엔', '메가스터디', '천재교육' 교재 기획 및 집필
- 전국 1,000개 이상의 공부방/선생님 컨설팅 및 교육
- 현재 〈GO! 매쓰〉 수학 공부방 운영

Chunjae
Maketh
Chunjae

기획총괄	김안나
편집개발	이근우, 장지현, 서진호, 한인숙, 최수정, 김혜민, 장효선, 박웅
디자인총괄	김희정
표지디자인	윤순미
내지디자인	박희춘, 이혜미
제작	황성진, 조규영

발행일	2020년 10월 1일 2판 2020년 10월 1일 1쇄
발행인	(주)천재교육
주소	서울시 금천구 가산로9길 54
신고번호	제2001-000018호
고객센터	1577-0902
교재 구입 문의	1522-5566

※ 정답 분실 시에는 천재교육 홈페이지에서 내려받으세요.

※ KC 마크는 이 제품이 공통안전기준에 적합하였음을 의미합니다.

※ 주의

책 모서리에 다칠 수 있으니 주의하시기 바랍니다.
부주의로 인한 사고의 경우 책임지지 않습니다.
8세 미만의 어린이는 부모님의 관리가 필요합니다.

“ 교과 개념과 사고력을 Play 활동을 통해 학습 흥미를 유발하고
교과 학습과 사고력을 동시에 다질 수 있는 GO! 매쓰 ”

교과와 **사고력**을 연계하여 **학습 능력 향상** 및 **사고력**을 **확장**할 수 있는
교과 + 사고력 GO! 매쓰 Run으로 수학의 길을 달려 보세요.

Run-A

1-1

구성과 특징

1주차 교과 집중 학습

1 교과서 개념 완성

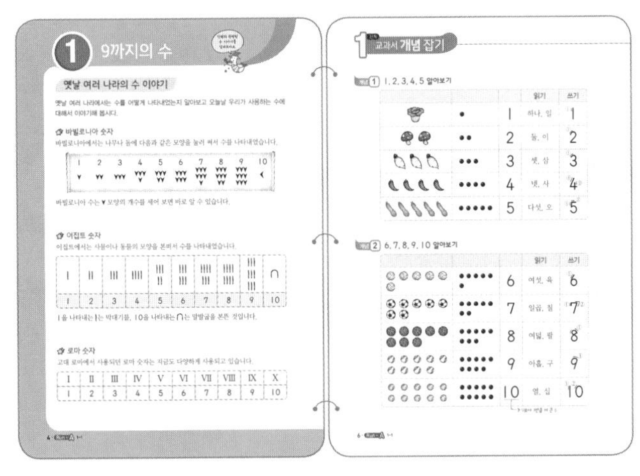

재미있는 수학 이야기로 단원에 대한 흥미를 높이고, 교과서 개념과 기본 문제를 학습합니다.

2 교과서 개념 PLAY

게임으로 개념을 학습하면서 집중력을 높여 쉽게 개념을 익히고 기본을 탄탄하게 만듭니다.

3 문제 풀이로 실력 & 자신감 UP!

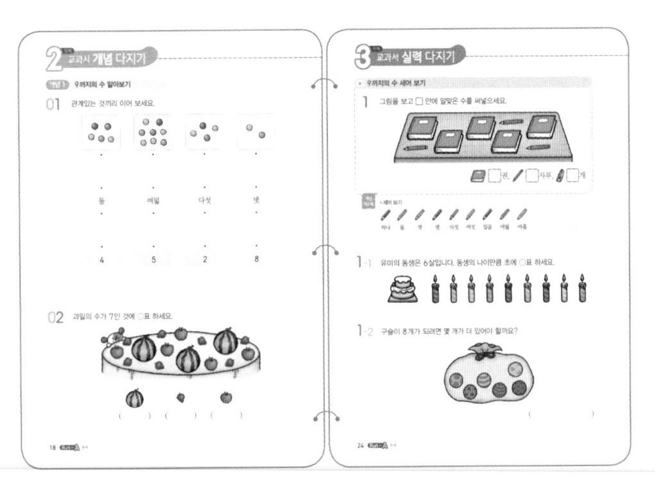

한 단계 더 나아간 교과서와 익힘 문제로 개념을 완성하고, 다양한 문제 유형으로 응용력을 키웁니다.

4 서술형 문제 풀이

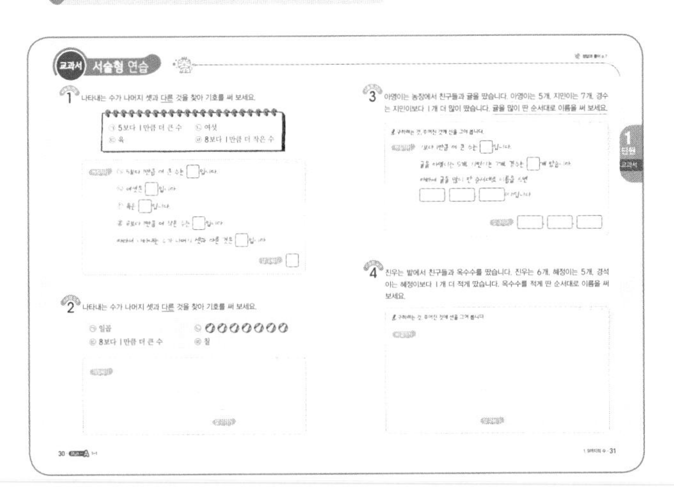

시험에 잘 나오는 서술형 문제 중심으로 단계별로 풀이하는 연습을 하여 서술하는 힘을 높여 줍니다.

교과 + 사고력
2주에 한 단원 완성!

2주차 사고력 확장 학습

1 사고력 PLAY

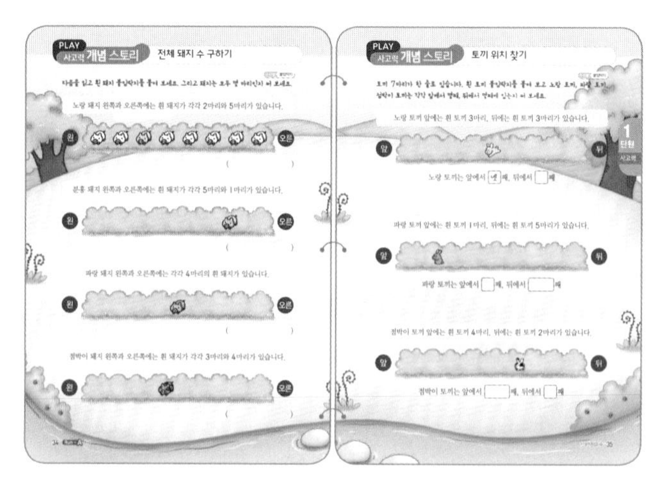

교과 심화 문제와 사고력 문제를 게임으로 쉽게 접근하여 어려운 문제에 대한 거부감을 낮추고 집중력을 높입니다.

2 교과 사고력 잡기

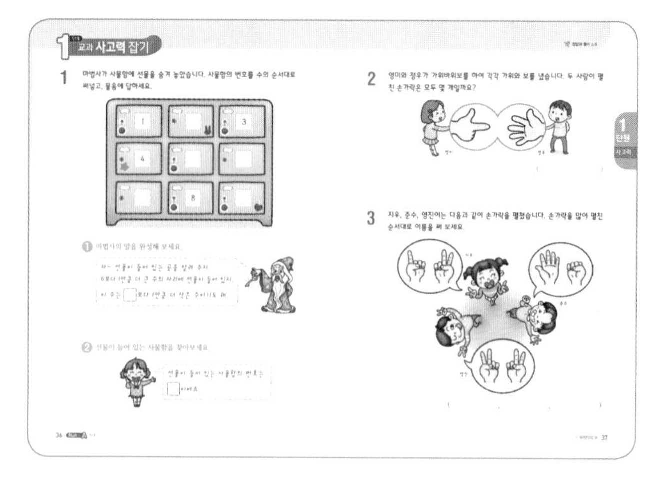

문제에 필요한 요소를 찾아 단계별로 해결하면서 문제 해결력을 키울 수 있는 힘을 기릅니다.

3 교과 사고력 확장+완성

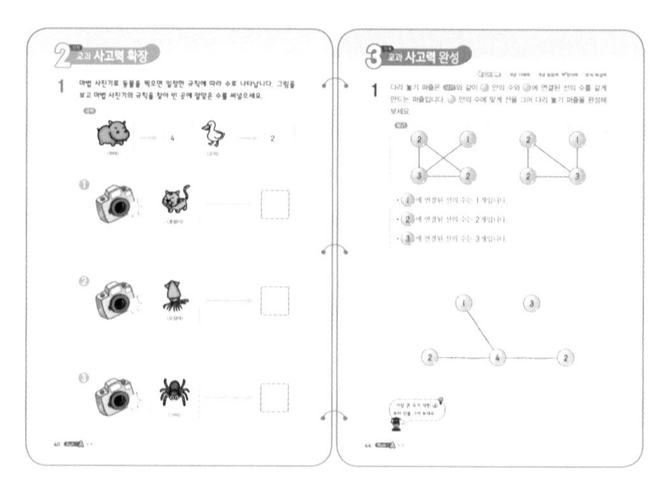

틀에서 벗어난 생각을 하여 문제를 해결하는 창의적 사고력을 기를 수 있는 힘을 기릅니다.

4 종합평가 / 특강

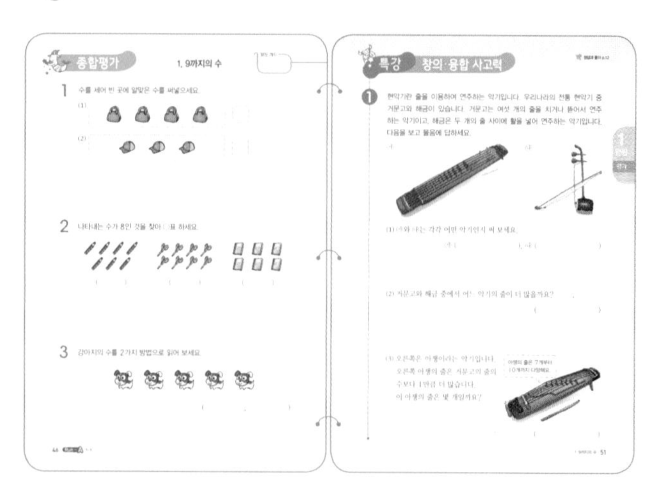

교과 학습과 사고력 학습을 얼마나 잘 이해하였는지 평가하여 배운 내용을 정리합니다.

1 9까지의 수

옛날 여러 나라의 수 이야기

옛날 여러 나라에서는 수를 어떻게 나타내었는지 알아보고 오늘날 우리가 사용하는 수에 대해서 이야기해 봅시다.

바빌로니아 숫자

바빌로니아에서는 나무나 돌에 다음과 같은 모양을 눌러 써서 수를 나타내었습니다.

바빌로니아 수는 ▼ 모양의 개수를 세어 보면 바로 알 수 있습니다.

이집트 숫자

이집트에서는 사물이나 동물의 모양을 본떠서 수를 나타내었습니다.

<table>
<tr><td>|</td><td>||</td><td>|||</td><td>||||</td><td>|||
	</td><td>		
		</td><td>			
		</td><td>			
			</td><td>		
		</td><td>∩</td></tr>
<tr><td>1</td><td>2</td><td>3</td><td>4</td><td>5</td><td>6</td><td>7</td><td>8</td><td>9</td><td>10</td></tr>
</table>

1을 나타내는 |는 막대기를, 10을 나타내는 ∩는 말발굽을 본뜬 것입니다.

로마 숫자

고대 로마에서 사용되던 로마 숫자는 지금도 다양하게 사용되고 있습니다.

I	II	III	IV	V	VI	VII	VIII	IX	X
1	2	3	4	5	6	7	8	9	10

✩ 아라비아 숫자

1	2	3	4	5	6	7	8	9	10

아라비아 숫자는 오늘날 세계에서 가장 널리 사용되는 숫자 표현 기호입니다.
12세기에 아라비아 사람들에 의해 유럽으로 전해지면서 아라비아 숫자라는 이름으로 불리기 시작했습니다.

이집트 숫자를 아라비아 숫자로 나타내어 보세요.

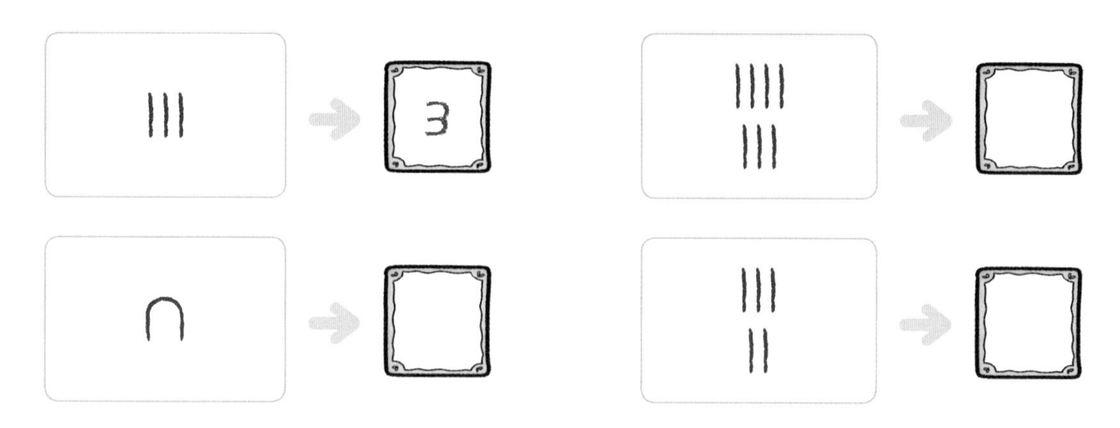

고대 로마 숫자를 써넣어 시계를 완성해 보세요.

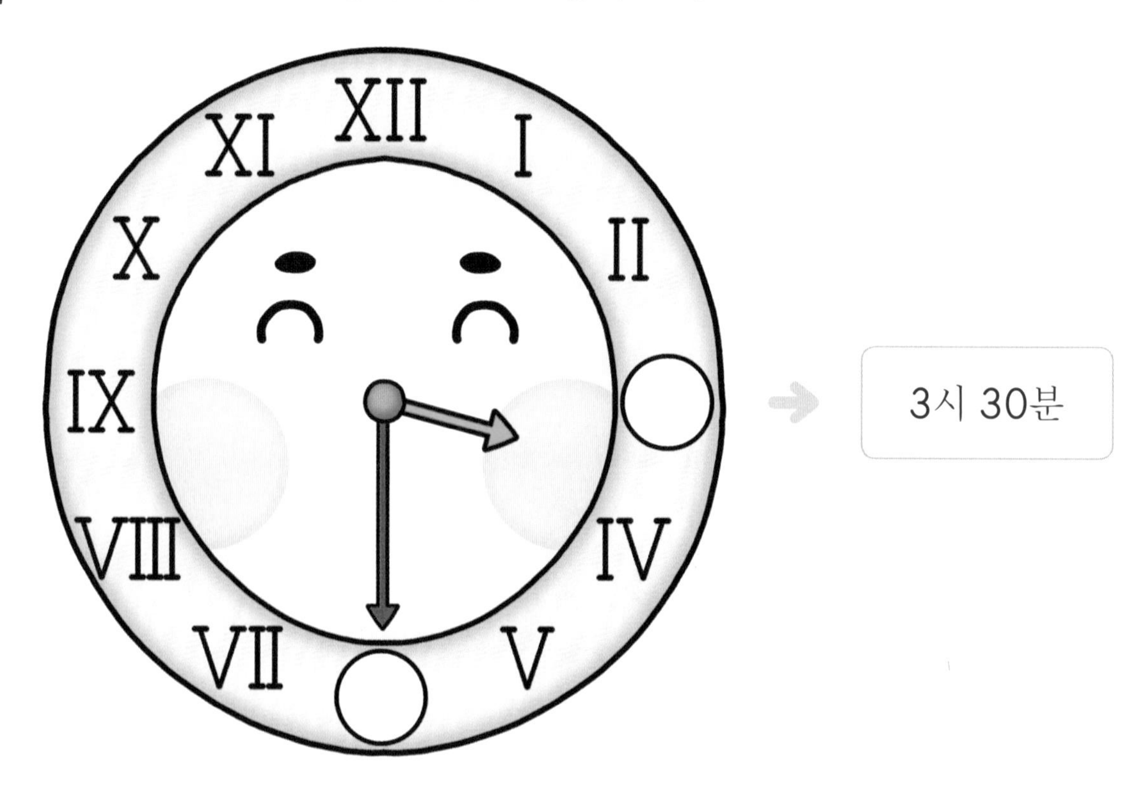

1 단계 교과서 개념 잡기

개념 1 1, 2, 3, 4, 5 알아보기

			읽기	쓰기
	●	1	하나, 일	①1
	●●	2	둘, 이	①2
	●●●	3	셋, 삼	①3
	●●●●	4	넷, 사	①4②
	●●●●●	5	다섯, 오	①5②

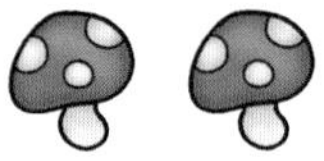

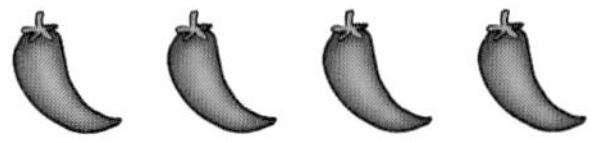

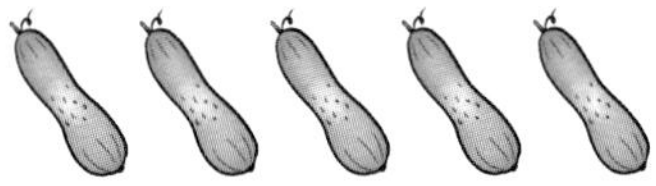

개념 2 6, 7, 8, 9, 10 알아보기

			읽기	쓰기
	●●●●● ●	6	여섯, 육	①6
	●●●●● ●●	7	일곱, 칠	①7②
	●●●●● ●●●	8	여덟, 팔	8①
	●●●●● ●●●●	9	아홉, 구	9①
	●●●●● ●●●●●	10	열, 십	①②10

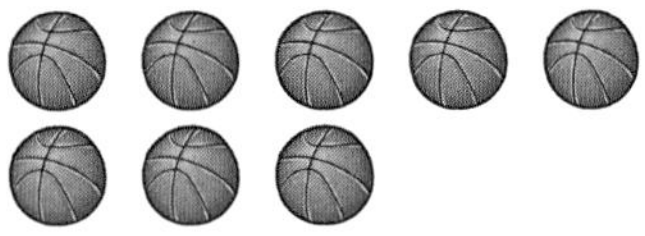

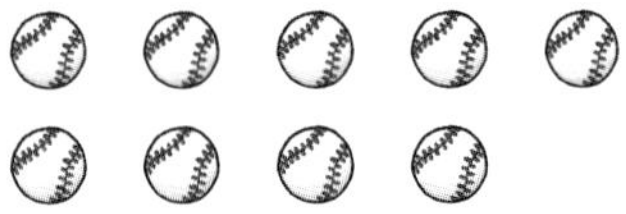

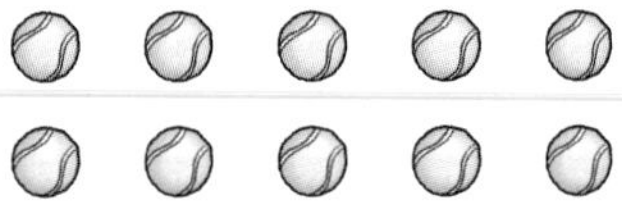

→ 9보다 1만큼 더 큰 수

개념 확인 문제

1-1 그림의 수를 세어 빈 곳에 알맞은 수를 써넣으세요.

(1) (2)

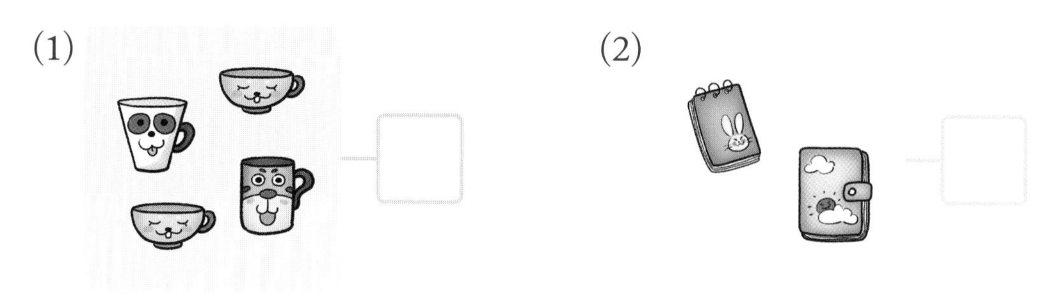

1-2 가위의 수를 세어 보고 바르게 읽은 것에 ○표 하세요.

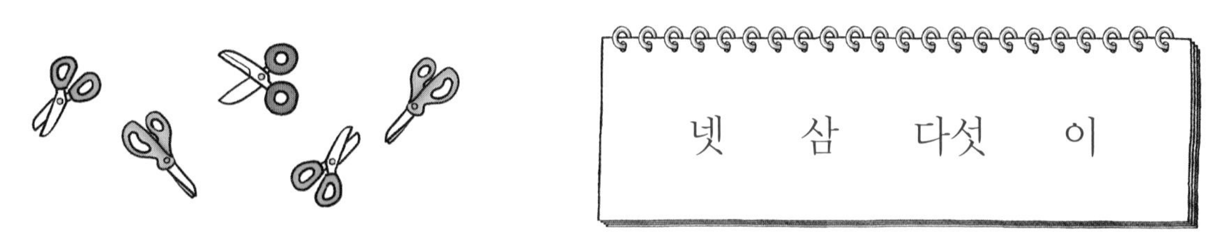

2-1 관계있는 것끼리 이어 보세요.

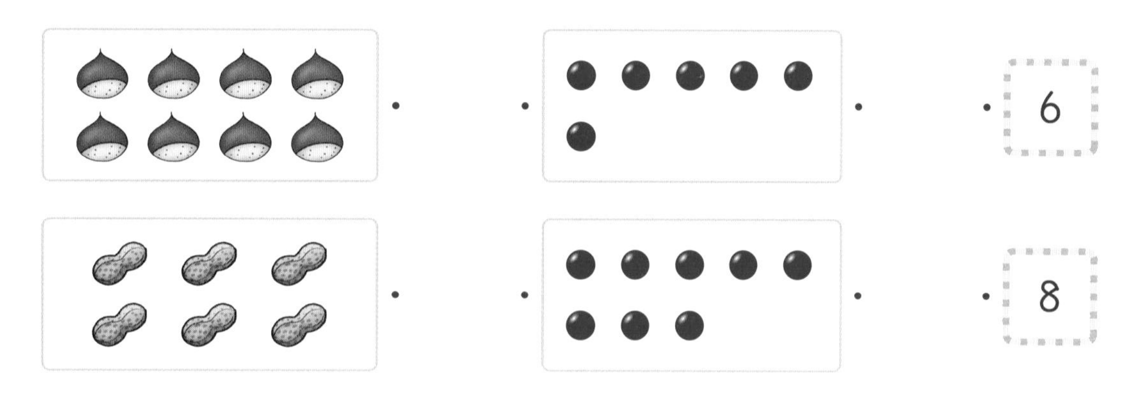

2-2 왼쪽의 수만큼 색칠해 보세요.

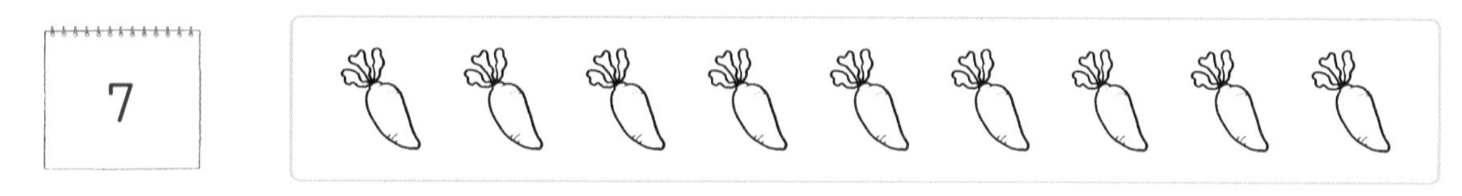

1단계 교과서 개념 잡기

개념 3 몇째인지 알아보기

수	1	2	3	4	5	6	7	8	9
순서	첫째	둘째	셋째	넷째	다섯째	여섯째	일곱째	여덟째	아홉째

개념 4 수의 순서 알아보기

- 1부터 9까지의 수를 순서대로 써 봅니다.

1 — 2 — 3 — 4 — 5 — 6 — 7 — 8 — 9

- 1부터 9까지의 수의 순서를 거꾸로 하여 써 봅니다.

9 — 8 — 7 — 6 — 5 — 4 — 3 — 2 — 1

개념 Play

준비물 붙임딱지

순서에 맞게 빈 곳에 붙임딱지를 붙여 기차를 완성해 보세요.

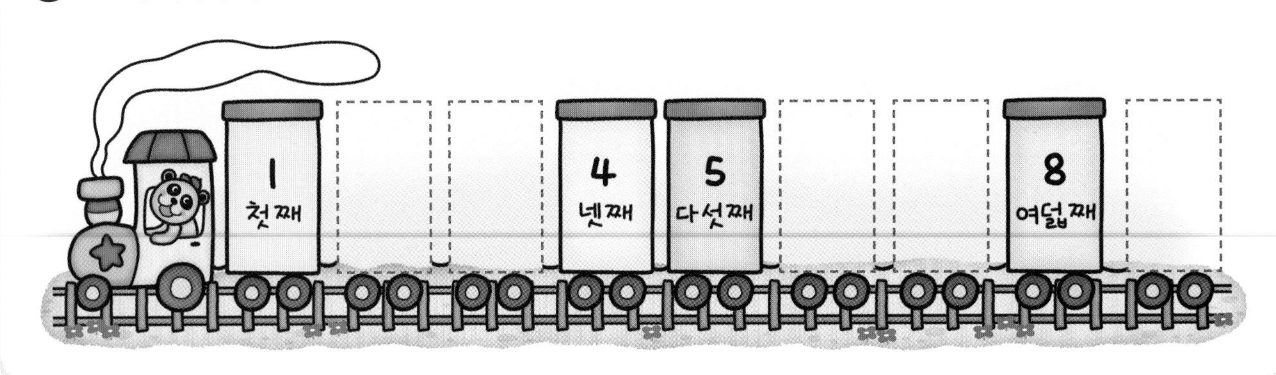

3-1 그림을 보고 순서에 맞게 이어 보세요.

3-2 왼쪽에서부터 알맞게 색칠해 보세요.

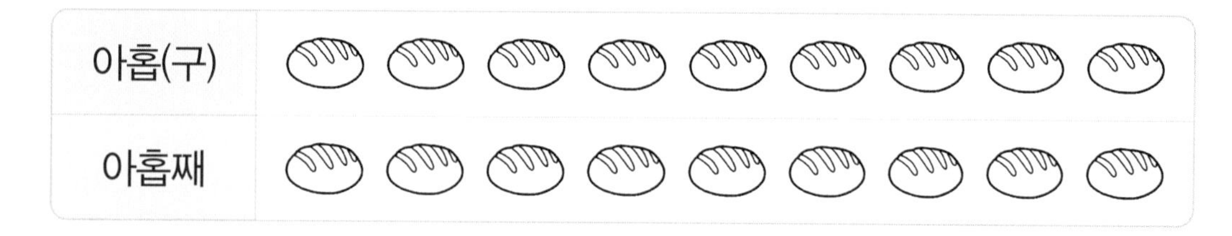

아홉(구)	
아홉째	

4-1 수의 순서에 맞게 빈 곳에 알맞은 수를 써넣으세요.

4-2 순서를 거꾸로 하여 빈 곳에 알맞은 수를 써넣으세요.

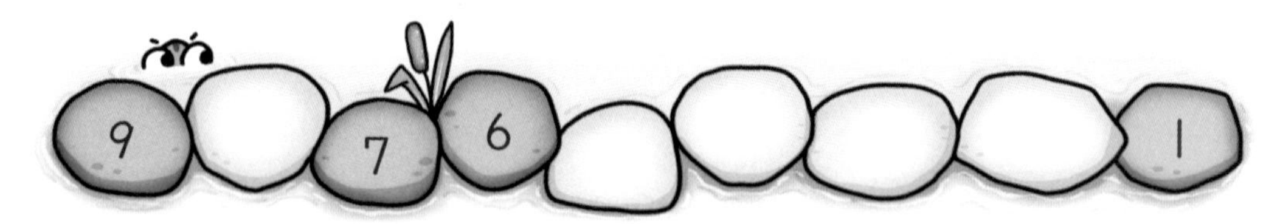

개념 5 1만큼 더 큰 수와 1만큼 더 작은 수 알아보기

수를 순서대로 썼을 때 바로 뒤의 수가 1만큼 더 큰 수이고, 바로 앞의 수가 1만큼 더 작은 수입니다.

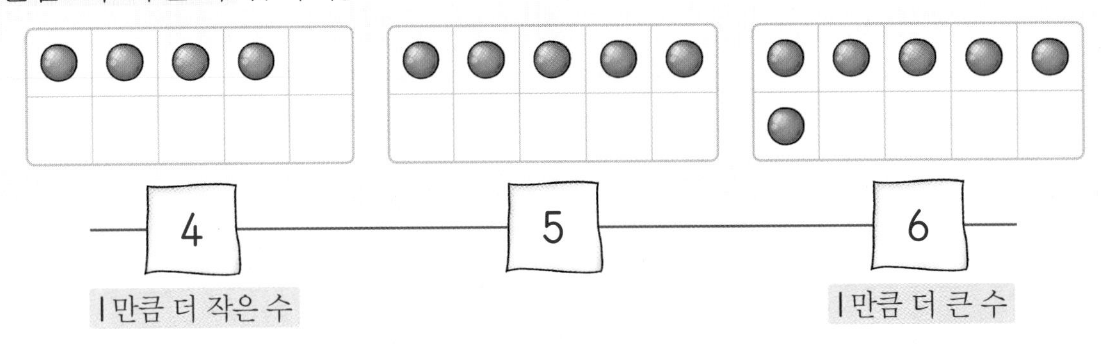

→ 5보다 1만큼 더 큰 수는 6입니다.
5보다 1만큼 더 작은 수는 4입니다.

개념 6 0 알아보기

아무것도 없는 것을 0이라 쓰고, 영이라고 읽습니다.

개념 Play

준비물 붙임딱지

주어진 수만큼 어항에 금붕어 붙임딱지를 붙여 보세요.

개념 확인 문제

5-1 수를 보고 □ 안에 알맞은 수를 써넣으세요.

(1) 5보다 1만큼 더 큰 수는 □입니다.

(2) 8보다 1만큼 더 작은 수는 □입니다.

5-2 빈 곳에 알맞은 수를 써넣으세요.

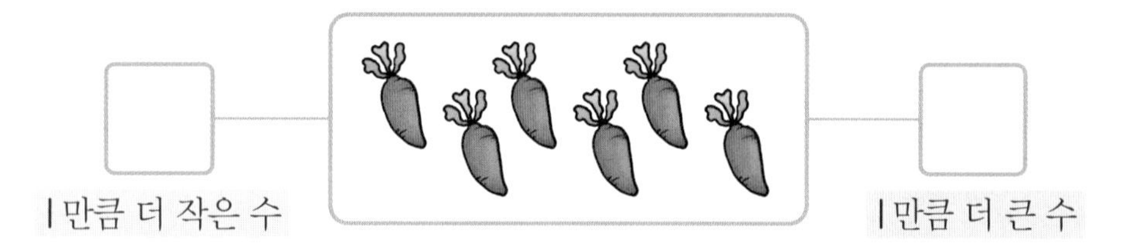

6-1 꽃의 수를 세어 빈 곳에 알맞은 수를 써넣으세요.

6-2 알맞은 수에 ○표 하세요.

1보다 1만큼 더 작은 수는 (0 , 2)입니다.

개념 7 두 수의 크기 비교

• 하나씩 짝을 지어 두 수의 크기를 비교하기

꽃은 나비보다 많습니다. ➡ 5는 3보다 큽니다.
나비는 꽃보다 적습니다. ➡ 3은 5보다 작습니다.

• 수를 순서대로 써서 비교하기

수를 순서대로 썼을 때 오른쪽에 있는 수가 왼쪽에 있는 수보다 큽니다.

개념 Play

준비물 붙임딱지

🍔와 🥫의 수만큼 ● 붙임딱지를 붙여 보고, 알맞은 말에 ○표 하세요.

🍔는 🥫보다 (많습니다 , 적습니다).

7-1 더 큰 수에 ○표 하세요.

(1) 3 8

(2) 9 6

7-2 더 작은 수에 △표 하세요.

(1) 2 4

(2) 7 5

7-3 6보다 작은 수에 모두 색칠해 보세요.

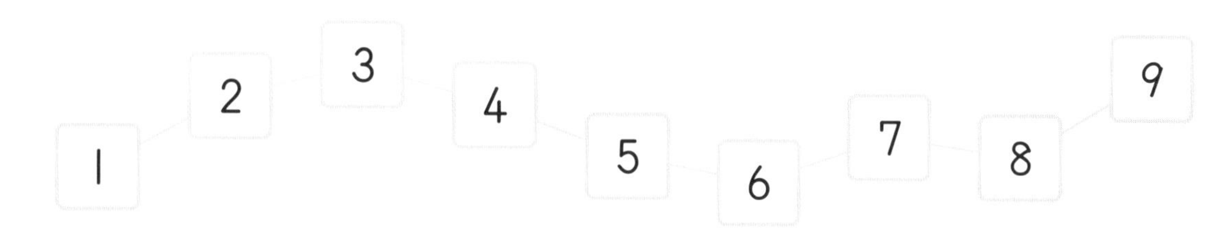

7-4 자동차의 수를 세어 쓰고 □ 안에 알맞은 수를 써넣으세요.

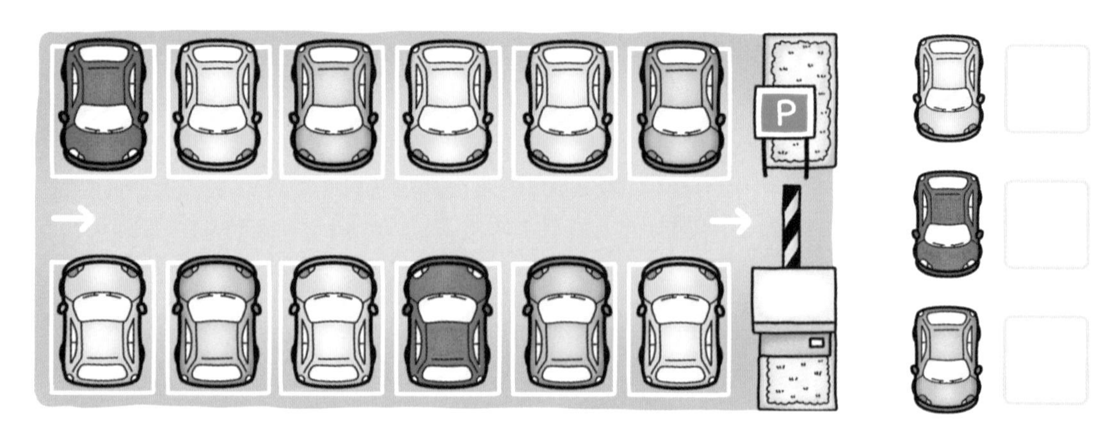

가장 큰 수는 □이고, 가장 작은 수는 □입니다.

PLAY 교과서 개념 스토리

곤충의 집 완성하기

준비물 붙임딱지

숲속에는 여러 곤충들이 살고 있어요. 지붕에 쓰여 있는 수만큼 곤충들이 들어갈 수 있지요. 수를 읽어 새로운 지붕 붙임딱지를 붙이고, 그 수만큼 있는 곤충 붙임딱지를 붙여 곤충의 집을 완성해 볼까요?

4
1
8
7
3

PLAY 교과서 개념 스토리

1만큼 더 크고 작은 수

준비물 붙임딱지

내용을 읽고 왼쪽에는 곤충 붙임딱지를, 오른쪽에는 구슬 붙임딱지를 붙여 보세요.
그리고 그림의 수보다 1만큼 더 큰 수와 1만큼 더 작은 수를 써넣으세요.

메뚜기 다섯 마리가 나뭇잎에서 뛰어 놉니다.

1만큼 더 작은 수 4 | 1만큼 더 큰 수 6

나비 일곱 마리가 꽃밭에 있습니다.

1만큼 더 작은 수 | 1만큼 더 큰 수

거미 세 마리가 거미줄을 만들고 있습니다.

1만큼 더 작은 수 | 1만큼 더 큰 수

무당벌레 여섯 마리가 기어가고 있습니다.

1만큼 더 작은 수 | 1만큼 더 큰 수

개미 아홉 마리가 개미굴 속으로 들어갑니다.

1만큼 더 작은 수

1만큼 더 큰 수

벌 네 마리가 벌집을 만들고 있습니다.

1만큼 더 작은 수

1만큼 더 큰 수

장수하늘소 두 마리가 땅에서 기어가고 있습니다.

1만큼 더 작은 수

1만큼 더 큰 수

잠자리 여덟 마리가 날아가고 있습니다.

1만큼 더 작은 수

1만큼 더 큰 수

2 단계 교과서 개념 다지기

개념 1 9까지의 수 알아보기

01 관계있는 것끼리 이어 보세요.

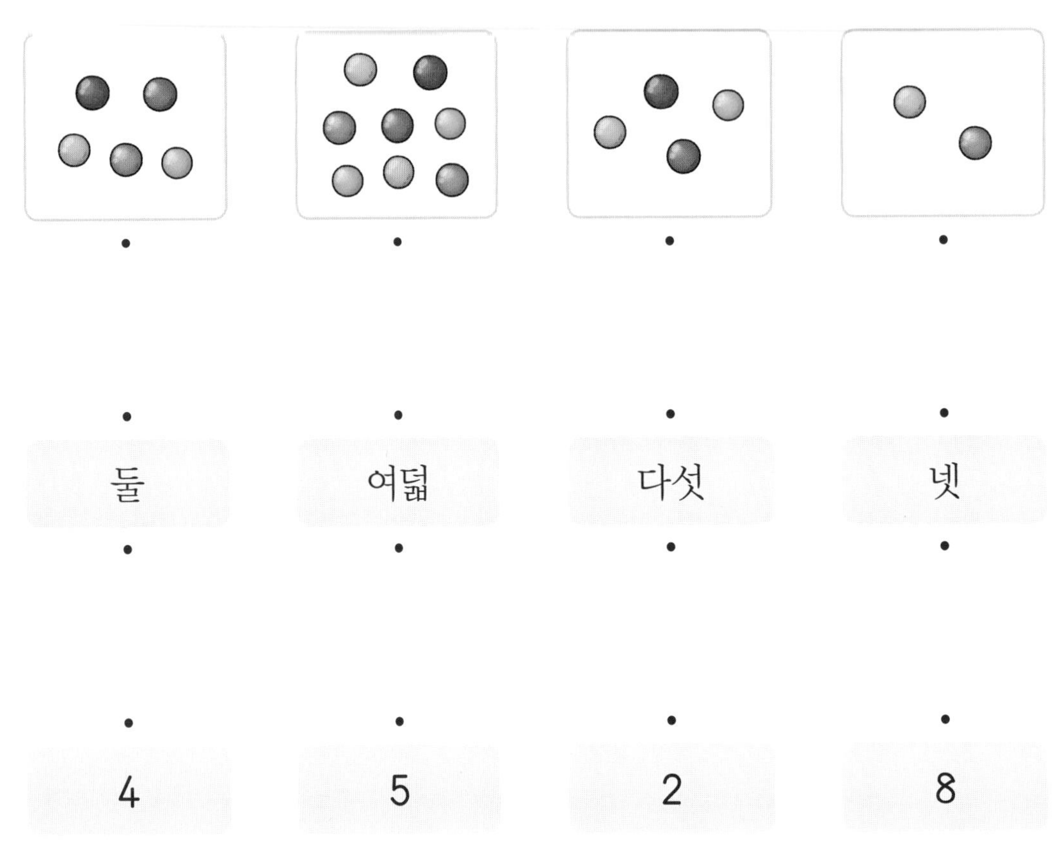

02 과일의 수가 7인 것에 ○표 하세요.

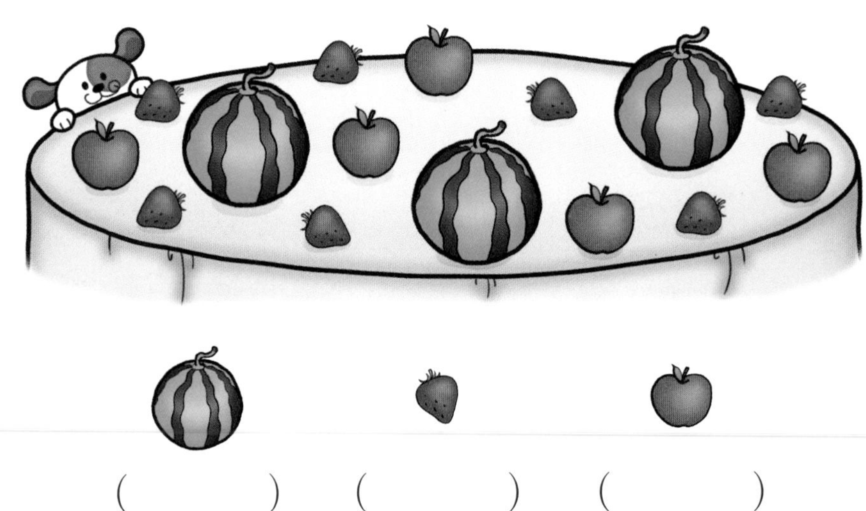

개념 2 9까지의 수 쓰고 읽기

03 문어의 다리 수를 세어 쓰고, 두 가지 방법으로 읽어 보세요.

쓰기 (　　　　　　　　　　)

읽기 (　　　　　　,　　　　　　)

04 나머지 셋과 다른 하나를 찾아 ×표 하세요.

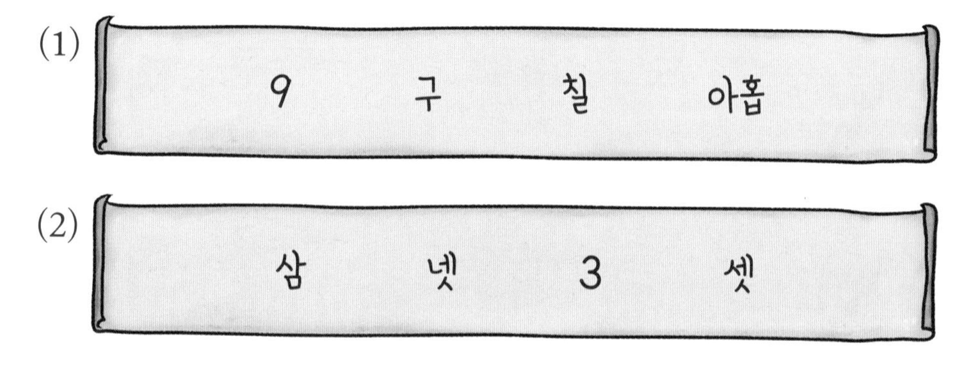

05 그림을 보고 책의 수를 바르게 나타낸 것을 찾아 기호를 써 보세요.

㉠ 책이 4권 있습니다.
㉡ 책의 수는 2입니다.
㉢ 책이 세 권 있습니다.

(　　　　　　　　　　)

개념 3 몇째인지 알아보기

06 알맞은 그림에 ○표 하세요.

(1) 왼쪽에서 여덟째

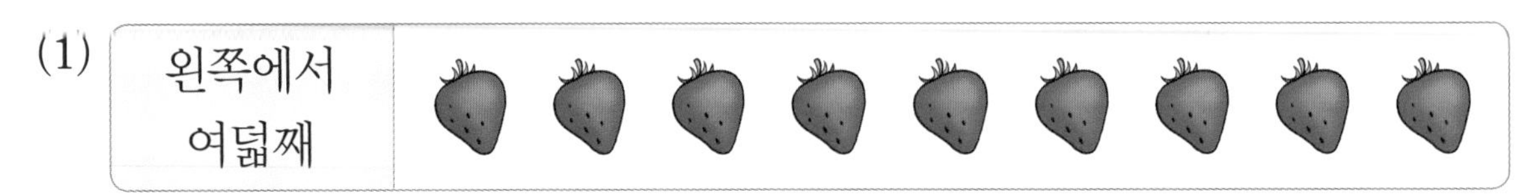

(2) 오른쪽에서 여섯째

07 터진 풍선은 오른쪽에서 몇째에 있을까요?

(　　　　　　　)

08 알맞게 이어 보세요.

위
아래
빨간색은 아래에서 첫째이면서 위에서 여덟째이기도 해.

· 위에서 다섯째

· 아래에서 여덟째

· 위에서 일곱째

· 아래에서 셋째

개념 4 수의 순서 알아보기

09 1부터 9까지의 수를 순서대로 이어 보세요.

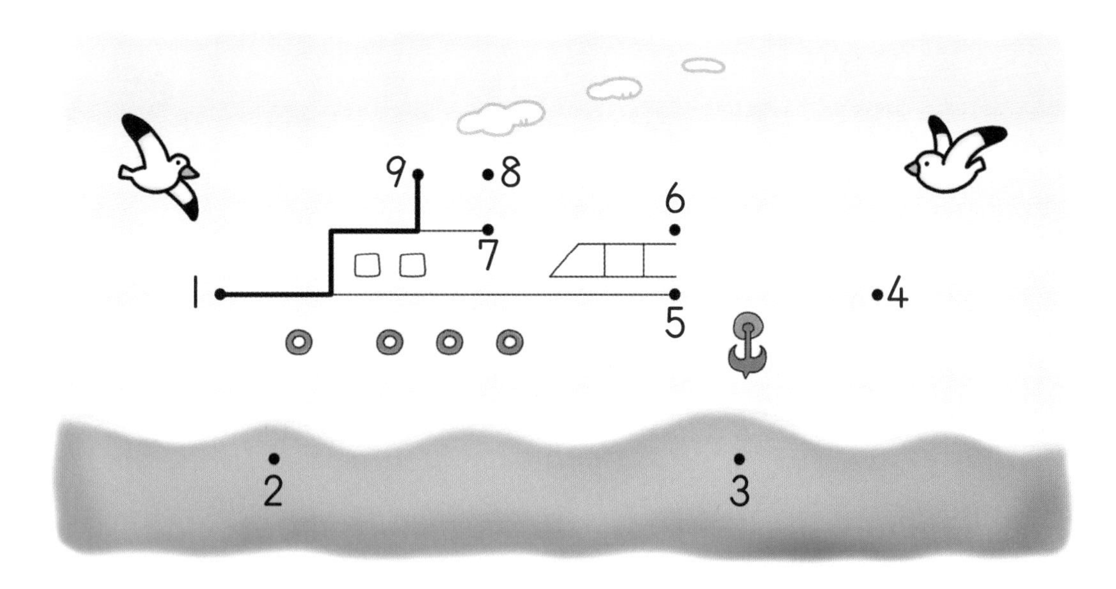

10 ㉠에 알맞은 수는 무엇일까요?

( )

개념 5 1만큼 더 큰 수와 1만큼 더 작은 수

11 가방의 수는 8입니다. 가방의 수보다 1만큼 더 큰 수와 1만큼 더 작은 수를 써 보세요.

(1) 8보다 1만큼 더 큰 수는 ☐입니다.

(2) 8보다 1만큼 더 작은 수는 ☐입니다.

12 설명한 수는 무엇인지 쓰고 읽어 보세요.

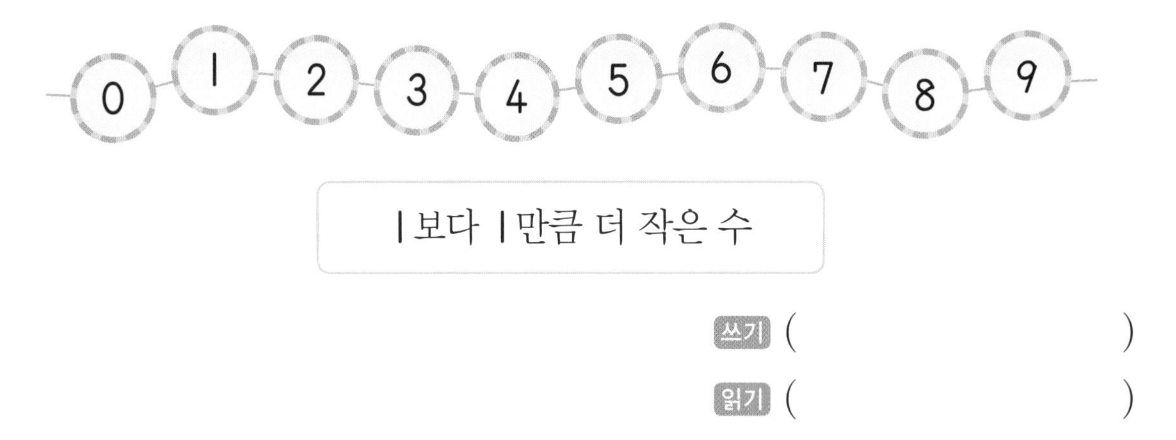

1보다 1만큼 더 작은 수

쓰기 (　　　　　　　)

읽기 (　　　　　　　)

13 빈 곳에 알맞은 수를 써넣으세요.

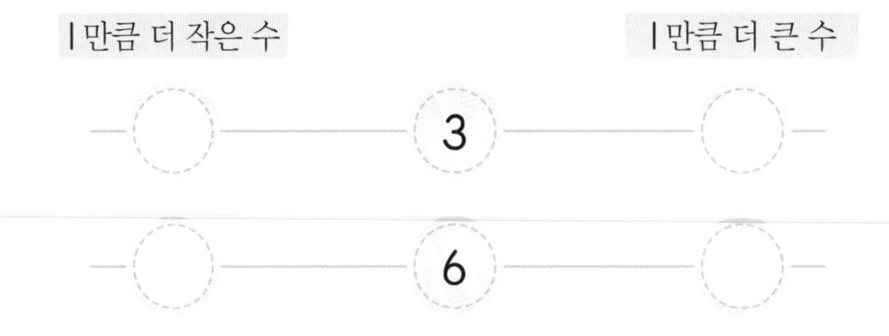

개념 6 수의 크기 비교

14 7과 5의 크기를 비교하려고 합니다. □ 안에 알맞은 수를 써넣으세요.

0 - 1 - 2 - 3 - 4 - 5 - 6 - 7 - 8 - 9

(1) □ 은(는) □ 보다 큽니다.

(2) □ 은(는) □ 보다 작습니다.

15 빵과 우유 중에서 어느 것이 더 많을까요?

(　　　　　　　)

16 가장 큰 수에 ○표, 가장 작은 수에 △표 하세요.

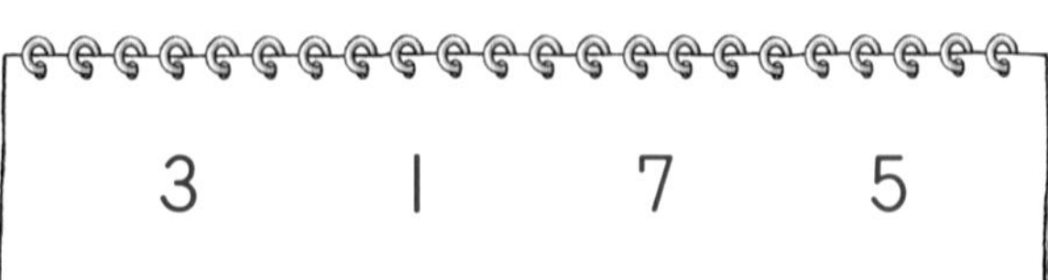

3 단계 교과서 실력 다지기

★ 9까지의 수 세어 보기

1 그림을 보고 □ 안에 알맞은 수를 써넣으세요.

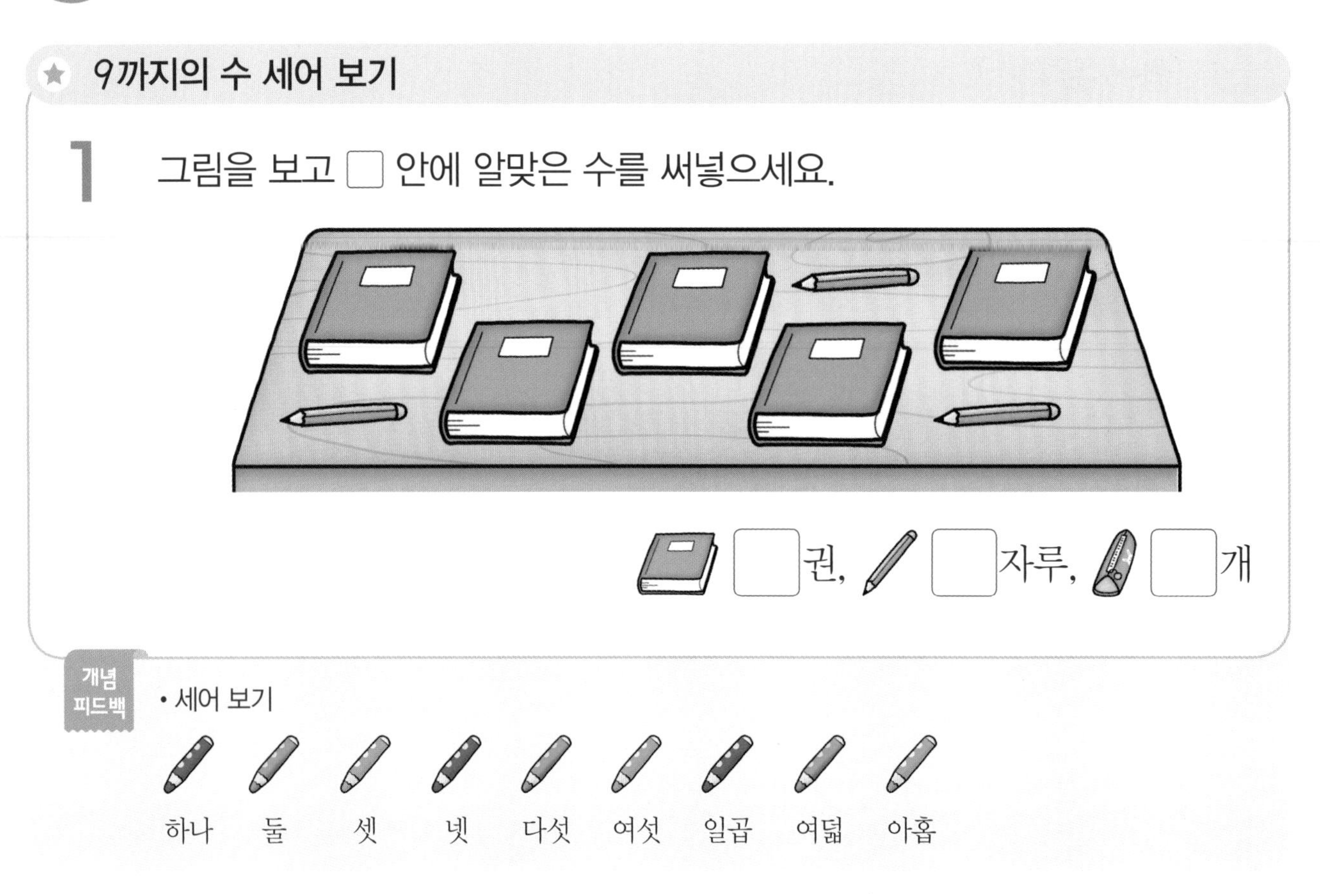

□권, □자루, □개

개념 피드백

• 세어 보기

하나 둘 셋 넷 다섯 여섯 일곱 여덟 아홉

1-1 유미의 동생은 6살입니다. 동생의 나이만큼 초에 ○표 하세요.

1-2 구슬이 8개가 되려면 몇 개가 더 있어야 할까요?

(　　　　　　　　)

★ 9까지의 수 읽기

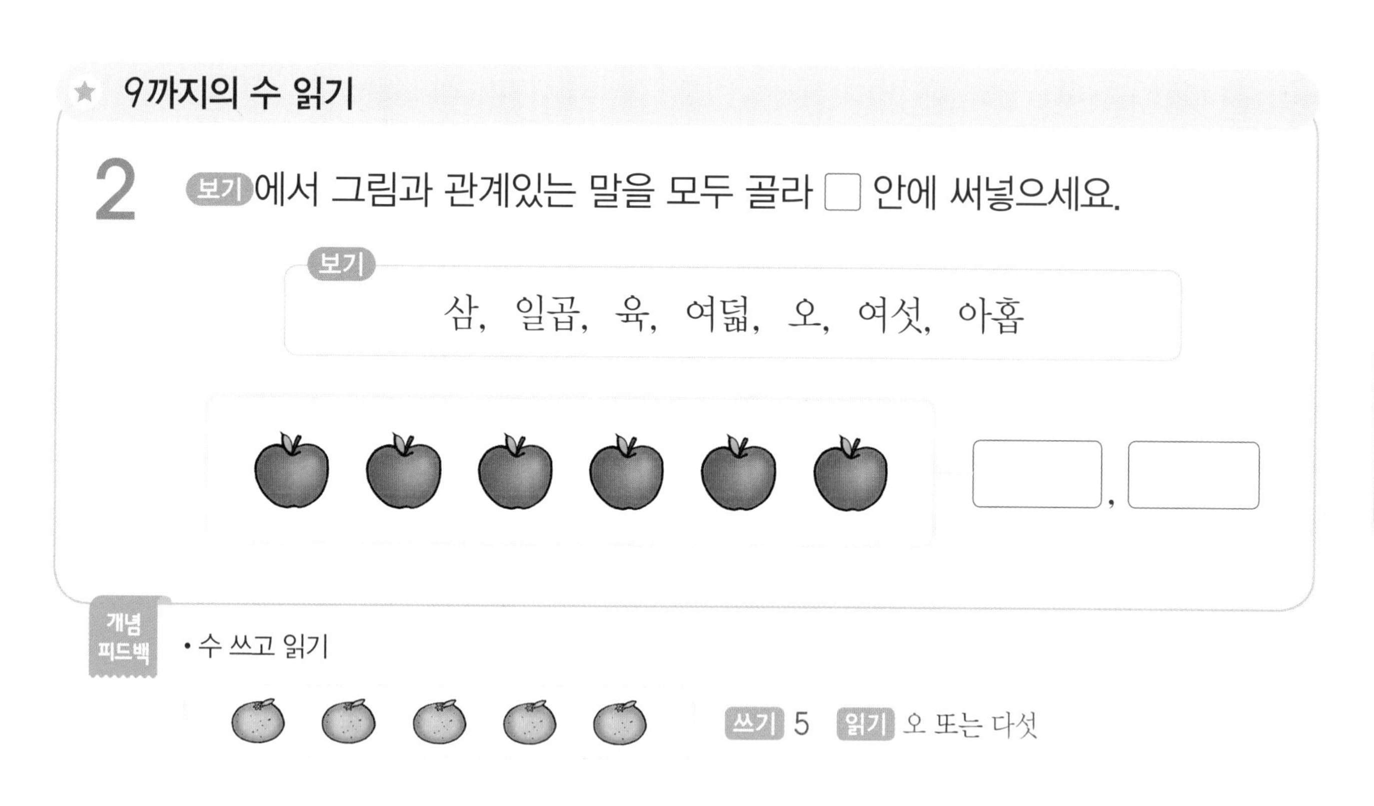

2 보기 에서 그림과 관계있는 말을 모두 골라 □ 안에 써넣으세요.

보기

삼, 일곱, 육, 여덟, 오, 여섯, 아홉

□, □

개념 피드백

• 수 쓰고 읽기

쓰기 5 읽기 오 또는 다섯

2-1 주어진 수만큼 도넛을 묶고, 묶지 않은 도넛의 수를 세어 두 가지 방법으로 읽어 보세요.

(,)

2-2 나머지 두 사람과 다른 수를 말한 사람은 누구일까요?

승기 나는 사탕이 9개 있어.

민지 우리 가족은 5명이야.

정아 우리 오빠는 아홉 살이야.

( )

수의 순서

3 사물함의 번호를 수의 순서대로 써넣으세요.

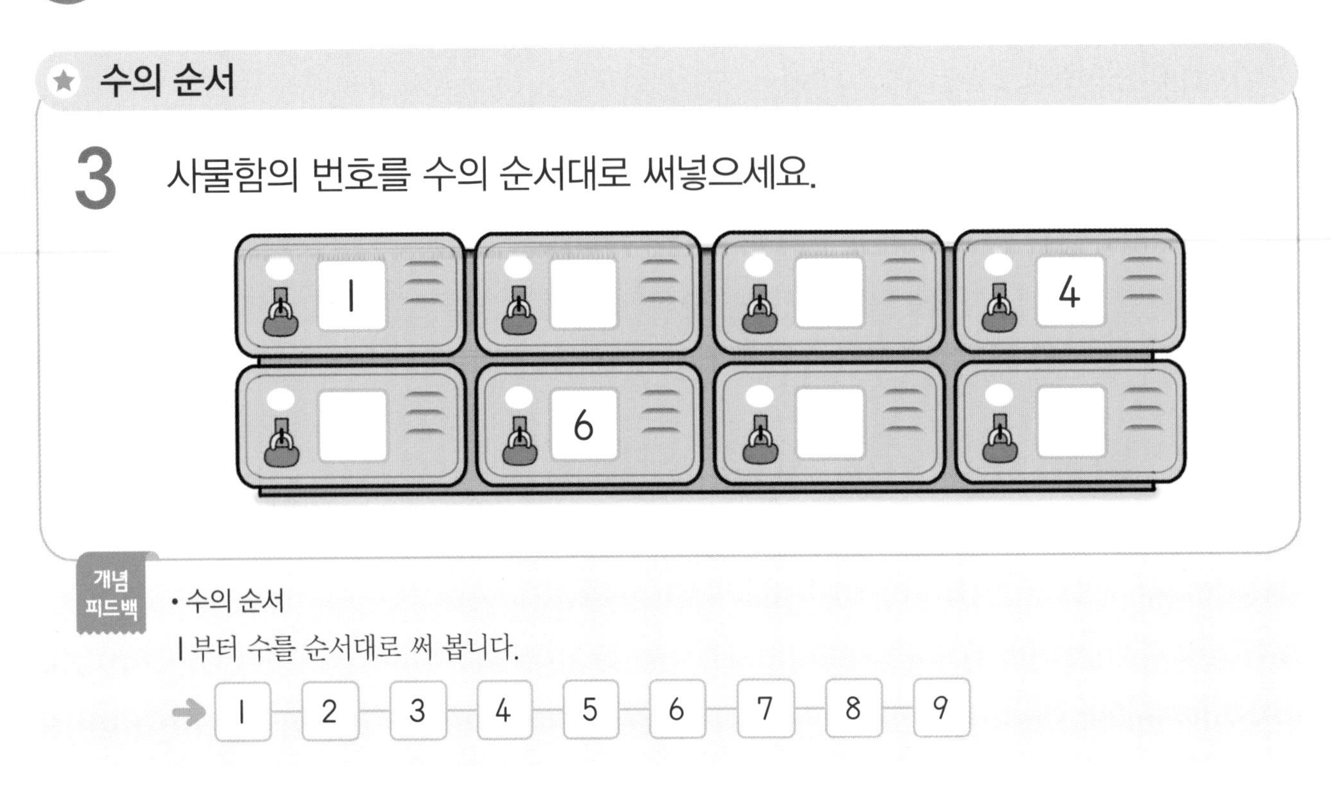

개념 피드백

• 수의 순서

1부터 수를 순서대로 써 봅니다.

→ 1 – 2 – 3 – 4 – 5 – 6 – 7 – 8 – 9

3-1 동물들이 순서대로 줄을 서 있습니다. 순서에 맞게 알맞은 수를 써넣으세요.

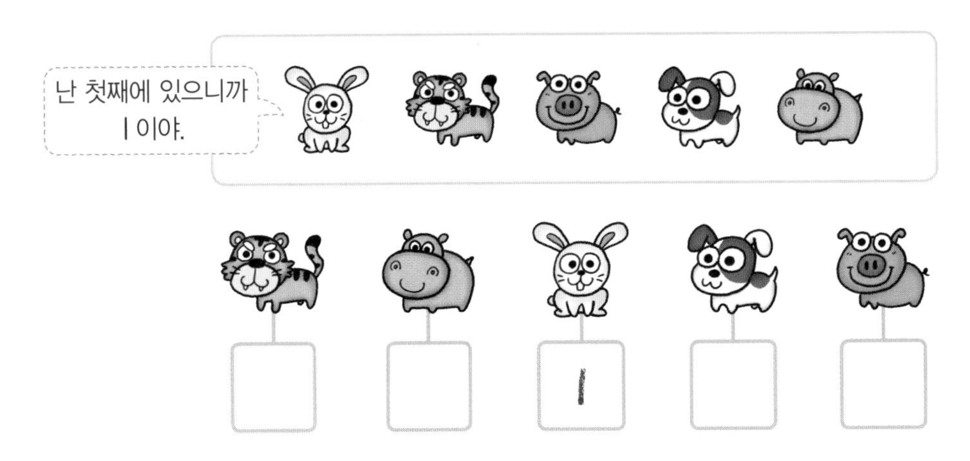

3-2 5명의 학생이 한 줄로 서 있습니다. 선영이는 앞에서 셋째에 서 있습니다. 선영이는 뒤에서 몇째에 서 있을까요?

(   )

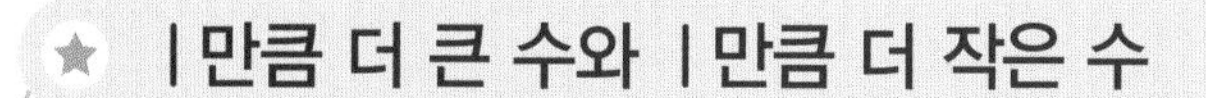

1만큼 더 큰 수와 1만큼 더 작은 수

4 진영이는 초콜릿 6개 중에서 1개를 친구에게 주었습니다. 진영이에게 남은 초콜릿은 몇 개일까요?

답 ______________

개념 피드백

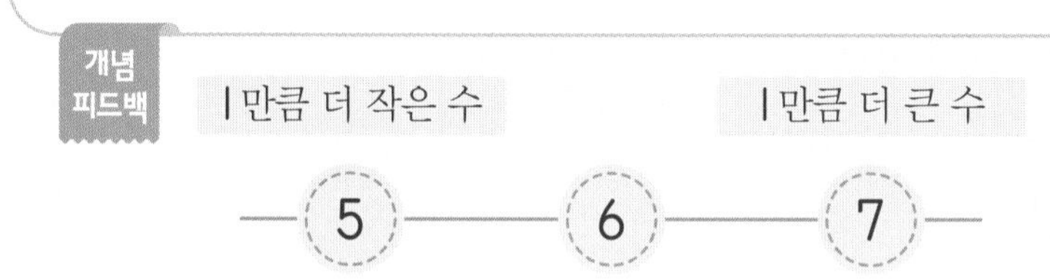

1 단원 교과서

4-1 그림의 수보다 1만큼 더 큰 수를 찾아 이어 보세요.

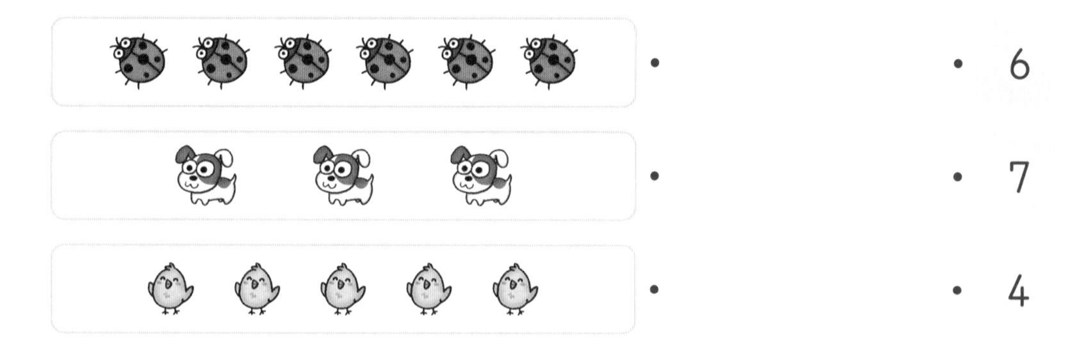

4-2 □ 안에 알맞은 수를 써넣으세요.

6은 □보다 1만큼 더 큰 수이고
□보다 1만큼 더 작은 수입니다.

★ 수의 크기 비교

5 1부터 9까지의 수를 보고 5보다 작은 수를 모두 써 보세요.

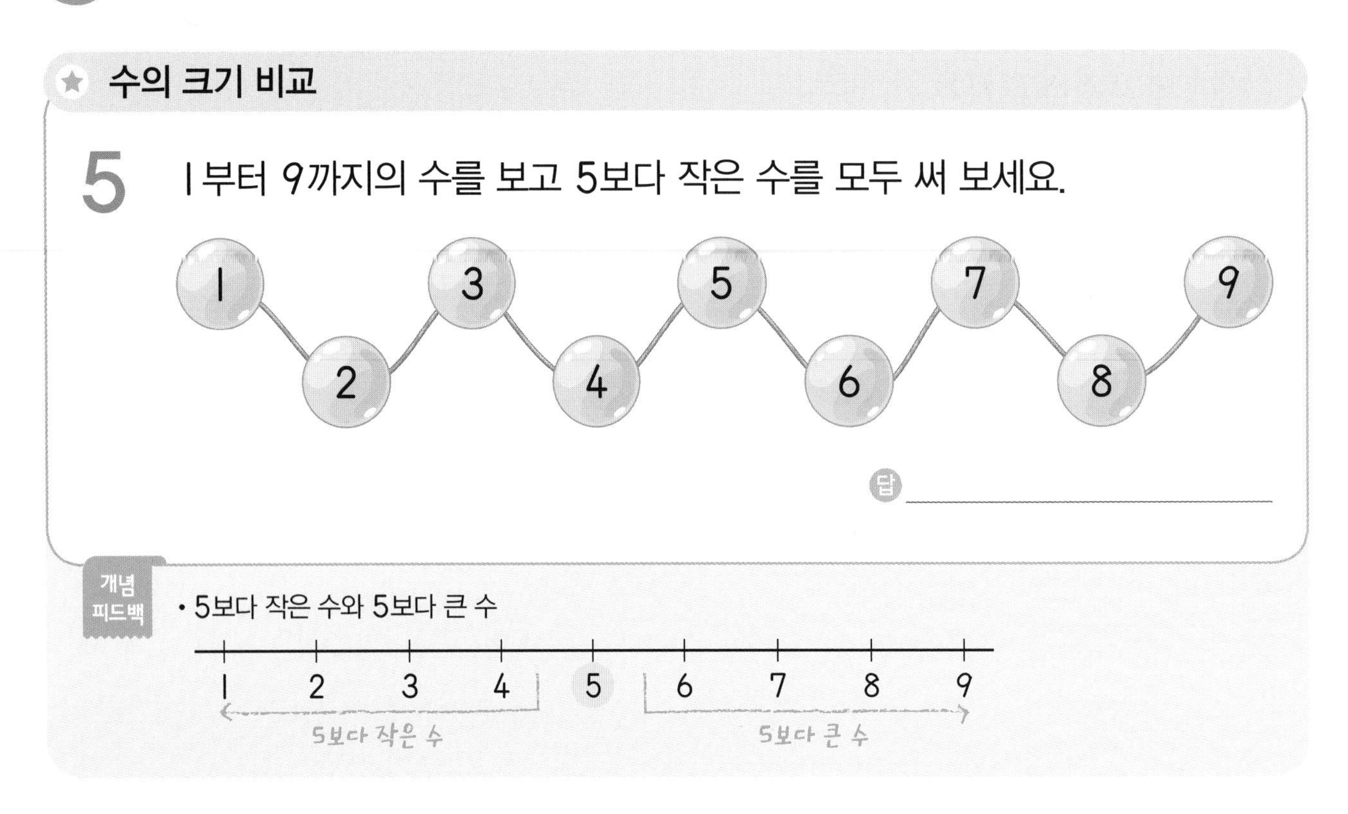

답 ________________

개념 피드백

• 5보다 작은 수와 5보다 큰 수

1 2 3 4 5 6 7 8 9

5보다 작은 수 / 5보다 큰 수

5-1 승기와 세형이는 주사위를 굴려서 더 큰 수가 나오는 사람이 이기는 게임을 했습니다. 승기와 세형이 중에서 누가 이겼을까요?

( )

5-2 주어진 수를 작은 수부터 순서대로 써 보세요.

6 1 2 9 5

( )

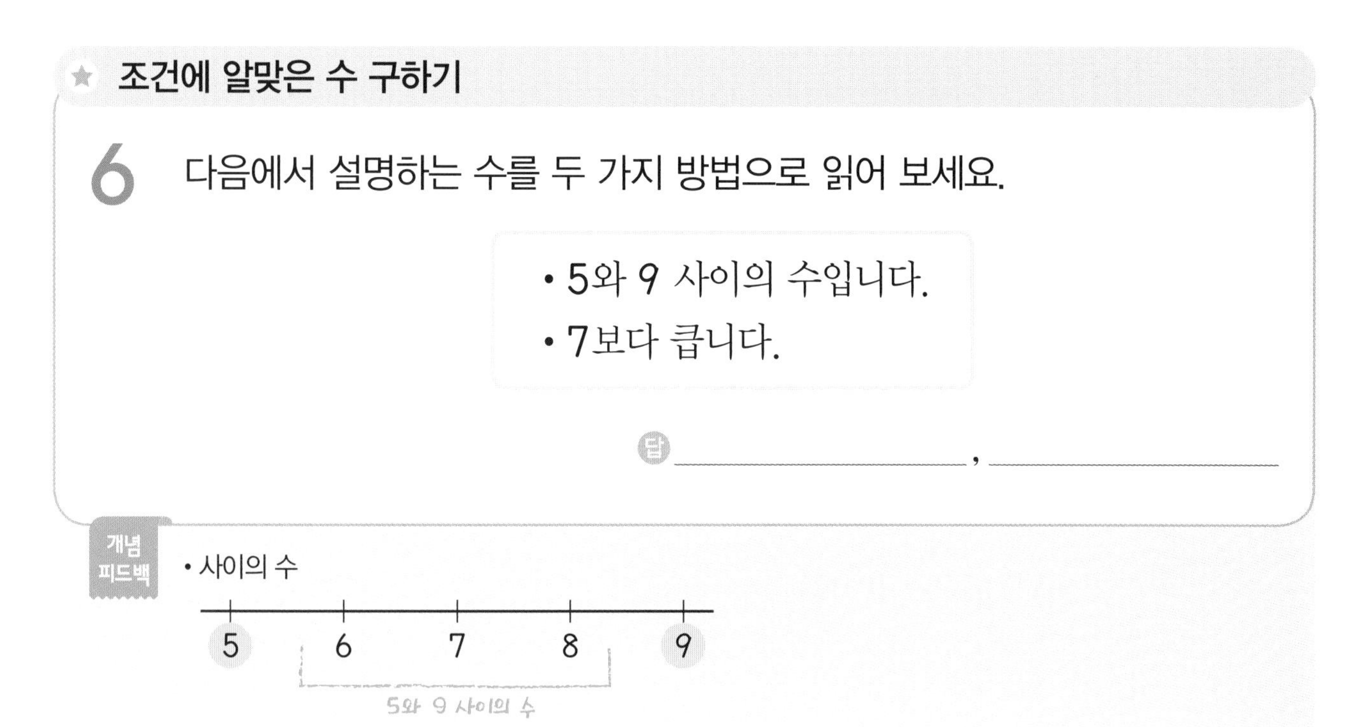

★ **조건에 알맞은 수 구하기**

6 다음에서 설명하는 수를 두 가지 방법으로 읽어 보세요.

- 5와 9 사이의 수입니다.
- 7보다 큽니다.

답 ______________, ______________

개념 피드백
- 사이의 수

1 단원 교과서

6-1 오른쪽 휴대 전화의 비밀번호를 알아보려고 합니다. □ 안에 알맞은 수를 써넣으세요.

- 둘째 수는 아무것도 없는 것을 나타내는 수입니다.
- 넷째 수는 7보다 큰 수입니다.
- 넷째 수는 9보다 1만큼 더 작은 수입니다.

(1) 아무것도 없는 것을 나타내는 수는 □입니다.

(2) 0부터 9까지의 수 중에서 7보다 큰 수는 □, □입니다.

(3) 9보다 1만큼 더 작은 수는 □입니다.

(4) 휴대 전화의 비밀번호는 □□□□입니다.

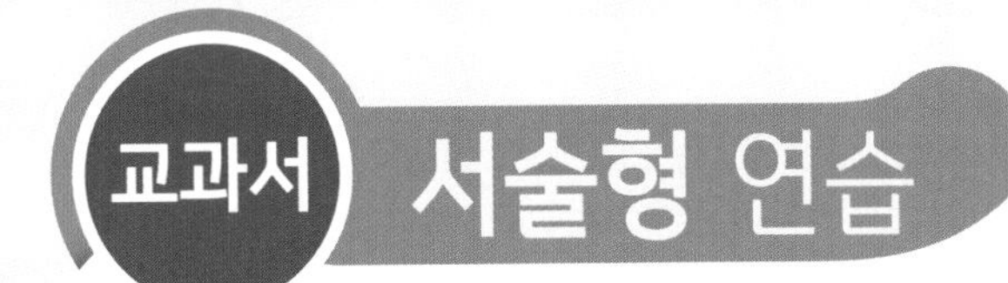

나타내는 수가 나머지 셋과 다른 것을 찾아 기호를 써 보세요.

㉠ 5보다 1만큼 더 큰 수　　㉡ 여섯
㉢ 육　　㉣ 8보다 1만큼 더 작은 수

해결하기 ㉠ 5보다 1만큼 더 큰 수는 □ 입니다.

㉡ 여섯은 □ 입니다.

㉢ 육은 □ 입니다.

㉣ 8보다 1만큼 더 작은 수는 □ 입니다.

따라서 나타내는 수가 나머지 셋과 다른 것은 □ 입니다.

답 구하기 □

서술형 실전

2 나타내는 수가 나머지 셋과 다른 것을 찾아 기호를 써 보세요.

㉠ 일곱　　㉡ ⚾⚾⚾⚾⚾⚾⚾
㉢ 8보다 1만큼 더 큰 수　　㉣ 칠

해결하기

답 구하기

3 아영이는 농장에서 친구들과 귤을 땄습니다. 아영이는 5개, 지민이는 7개, 경수는 지민이보다 1개 더 많이 땄습니다. 귤을 많이 딴 순서대로 이름을 써 보세요.

구하려는 것, 주어진 것에 선을 그어 봅니다.

해결하기 7보다 1만큼 더 큰 수는 □입니다.

귤을 아영이는 5개, 지민이는 7개, 경수는 □개 땄습니다.

따라서 귤을 많이 딴 순서대로 이름을 쓰면

□, □, □(이)입니다.

답 구하기 □, □, □

서술형 실전

4 진우는 밭에서 친구들과 옥수수를 땄습니다. 진우는 6개, 혜정이는 5개, 경석이는 혜정이보다 1개 더 적게 땄습니다. 옥수수를 적게 딴 순서대로 이름을 써 보세요.

구하려는 것, 주어진 것에 선을 그어 봅니다.

해결하기

답 구하기

PLAY 사고력 개념 스토리

토끼 숨겨 주기

준비물 붙임딱지

숲속에 사냥꾼이 나타났어요. 토끼들은 겁에 질려 사냥꾼을 피해 굴에 숨으려고 해요.
여섯 마리 토끼가 피하려고 하는 굴에 토끼 붙임딱지를 붙여 보세요.

왼쪽에서 둘째 굴, 앞에서 둘째 굴

왼쪽에서 둘째 굴, 뒤에서 둘째 굴

오른쪽에서 둘째 굴, 뒤에서 셋째 굴

오른쪽에서 넷째 굴, 뒤에서 셋째 굴

왼쪽에서 셋째 굴, 앞에서 다섯째 굴

오른쪽에서 둘째 굴, 앞에서 첫째 굴

앞
왼
오른
뒤
1
단원
사고력

PLAY 사고력 개념 스토리

전체 돼지 수 구하기

준비물 붙임딱지

다음을 읽고 흰 돼지 붙임딱지를 붙여 보세요. 그리고 돼지는 모두 몇 마리인지 써 보세요.

노랑 돼지 왼쪽과 오른쪽에는 흰 돼지가 각각 2마리와 5마리가 있습니다.

(　　　　　　　)

분홍 돼지 왼쪽과 오른쪽에는 흰 돼지가 각각 5마리와 1마리가 있습니다.

(　　　　　　　)

파랑 돼지 왼쪽과 오른쪽에는 각각 4마리의 흰 돼지가 있습니다.

(　　　　　　　)

점박이 돼지 왼쪽과 오른쪽에는 흰 돼지가 각각 3마리와 4마리가 있습니다.

(　　　　　　　)

토끼 위치 찾기

준비물 붙임딱지

토끼 7마리가 한 줄로 있습니다. 흰 토끼 붙임딱지를 붙여 보고 노랑 토끼, 파랑 토끼, 점박이 토끼는 각각 앞에서 몇째, 뒤에서 몇째에 있는지 써 보세요.

노랑 토끼 앞에는 흰 토끼 3마리, 뒤에는 흰 토끼 3마리가 있습니다.

앞  뒤

노랑 토끼는 앞에서 넷 째, 뒤에서 ☐ 째

파랑 토끼 앞에는 흰 토끼 1마리, 뒤에는 흰 토끼 5마리가 있습니다.

앞  뒤

파랑 토끼는 앞에서 ☐ 째, 뒤에서 ☐ 째

점박이 토끼 앞에는 흰 토끼 4마리, 뒤에는 흰 토끼 2마리가 있습니다.

앞  뒤

점박이 토끼는 앞에서 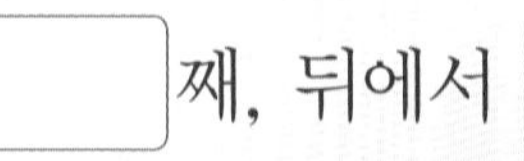 째, 뒤에서  째

1 단계 교과 사고력 잡기

1 **마법사가 사물함에 선물을 숨겨 놓았습니다. 사물함의 번호를 수의 순서대로 써넣고, 물음에 답하세요.**

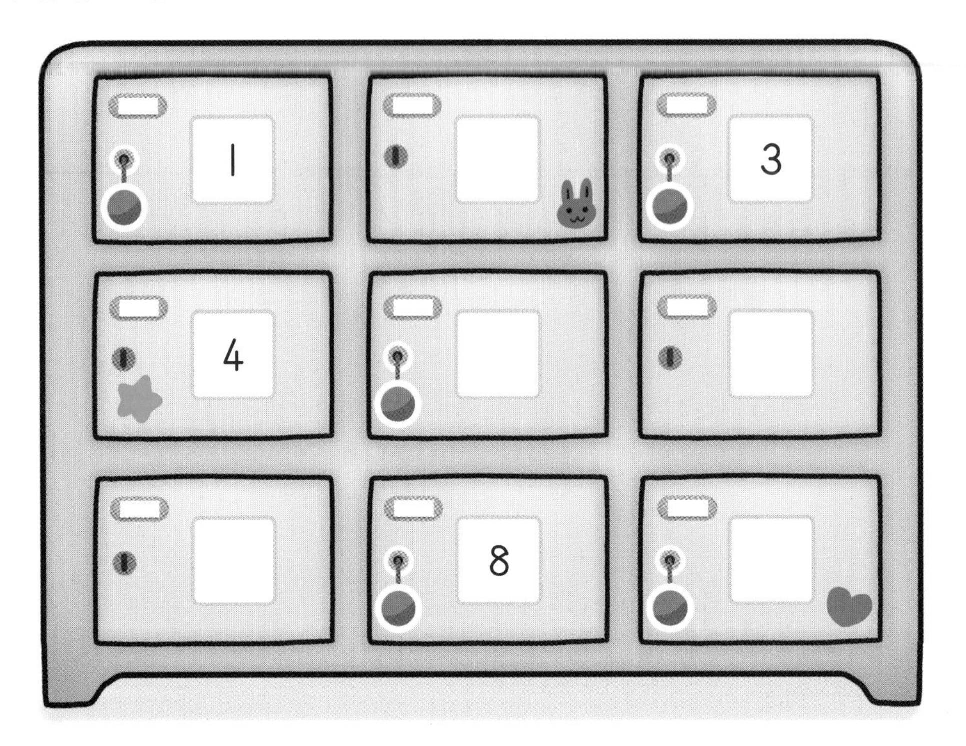

① 마법사의 말을 완성해 보세요.

자~ 선물이 들어 있는 곳을 알려 주지.
6보다 1만큼 더 큰 수의 자리에 선물이 들어 있지.
이 수는 ☐보다 1만큼 더 작은 수이기도 해.

② 선물이 들어 있는 사물함을 찾아보세요.

선물이 들어 있는 사물함의 번호는
☐이에요.

2 영미와 정우가 가위바위보를 하여 각각 가위와 보를 냈습니다. 두 사람이 펼친 손가락은 모두 몇 개일까요?

( )

3 지우, 준수, 영진이는 다음과 같이 손가락을 펼쳤습니다. 손가락을 많이 펼친 순서대로 이름을 써 보세요.

(, ,)

준비물 붙임딱지

4 그림을 보고 거북, 물고기, 조개의 수만큼 구슬을 묶고, 묶지 않은 구슬의 수를 써넣으세요. 그리고 거북, 물고기, 조개 중 묶지 않은 구슬의 수가 다른 것은 어느 것인지 써 보세요.

거북 — 묶지 않은 수 (　　)

먼저 연두색 구슬 붙임딱지 9개를 붙여 보세요.

물고기 — 묶지 않은 수 (　　)

먼저 파란색 구슬 붙임딱지 9개를 붙여 보세요.

조개 — 묶지 않은 수 (　　)

(　　　　　　　　)

정답과 풀이 p.9

5 다음 중에서 규칙이 다른 하나에 ○표 하세요.

①

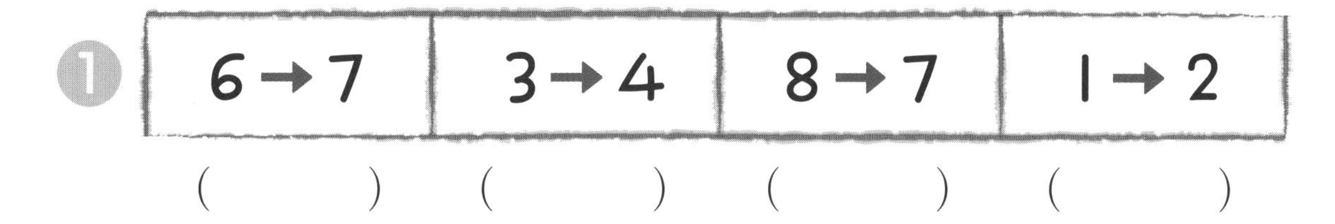

( ) ( ) ( ) ( )

②

5 → 4	9 → 8	3 → 2	6 → 7
( )	( )	( )	( )

6 바람 때문에 땅에 묶어 놓은 풍선의 실이 엉켜 있습니다. 다람쥐와 토끼의 풍선은 어떤 색깔인지 찾아 써 보세요.

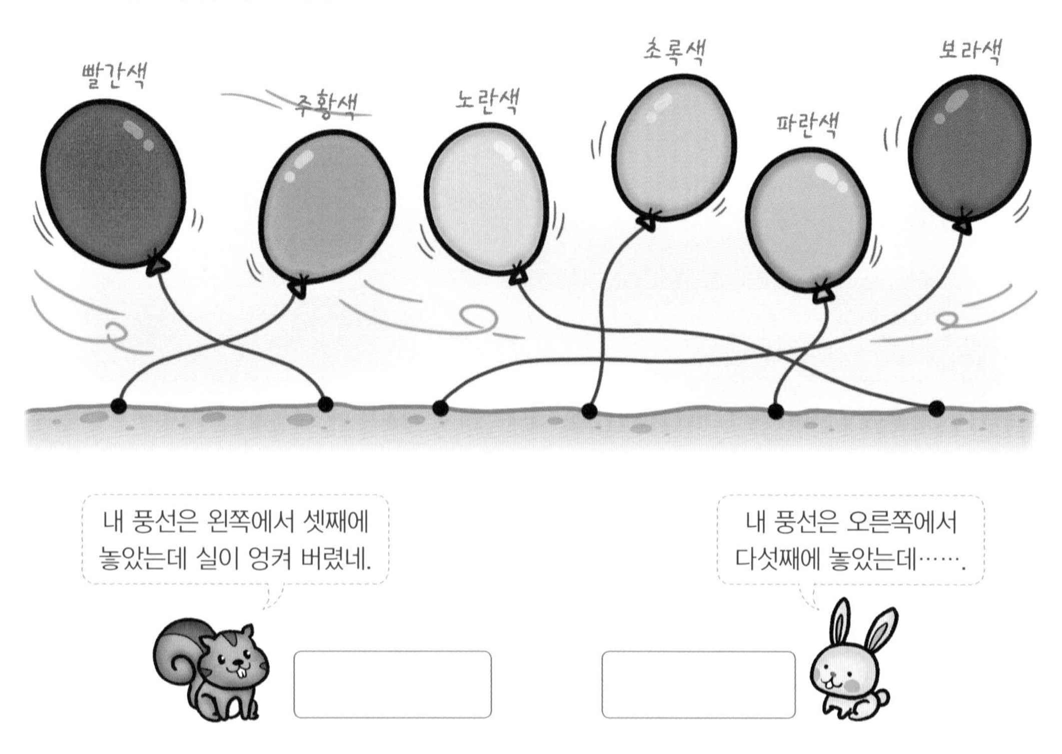

1 단원 사고력

1

마법 사진기로 동물을 찍으면 일정한 규칙에 따라 수로 나타납니다. 그림을 보고 마법 사진기의 규칙을 찾아 빈 곳에 알맞은 수를 써넣으세요.

❶

❷

❸

2 엄마 토끼가 음식을 만들기 위해서는 빵, 양배추, 당근을 다음과 같은 수만큼 준비해야 합니다. 각각의 재료를 몇 개씩 더 준비해야 하는지 알아보세요.

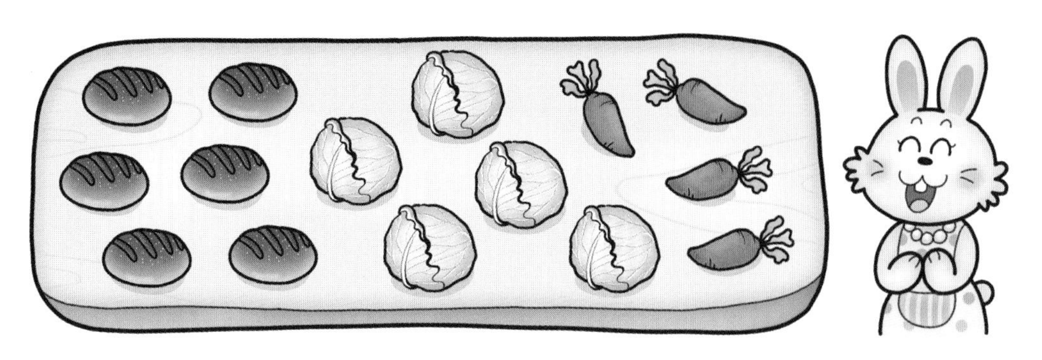

1 빵이 3개 있습니다. 빵을 몇 개 더 준비해야 하는지 색칠하여 구해 보세요.

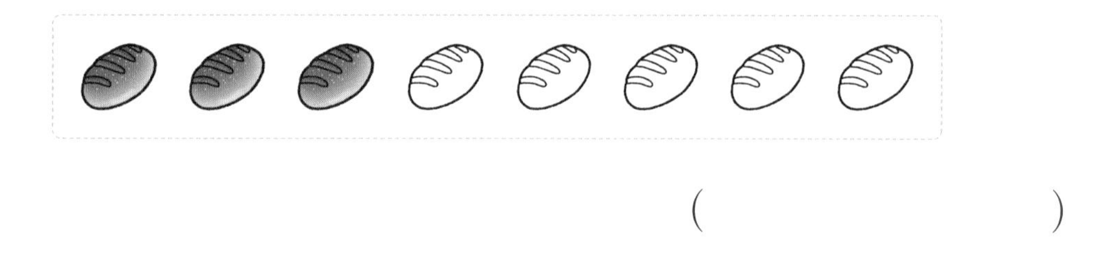

(　　　　　　　　)

2 양배추가 1개 있습니다. 양배추를 몇 개 더 준비해야 하는지 색칠하여 구해 보세요.

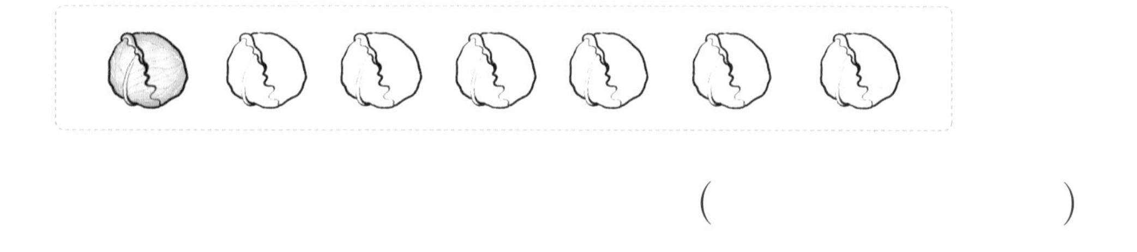

(　　　　　　　　)

3 당근이 2개 있습니다. 당근을 몇 개 더 준비해야 하는지 색칠하여 구해 보세요.

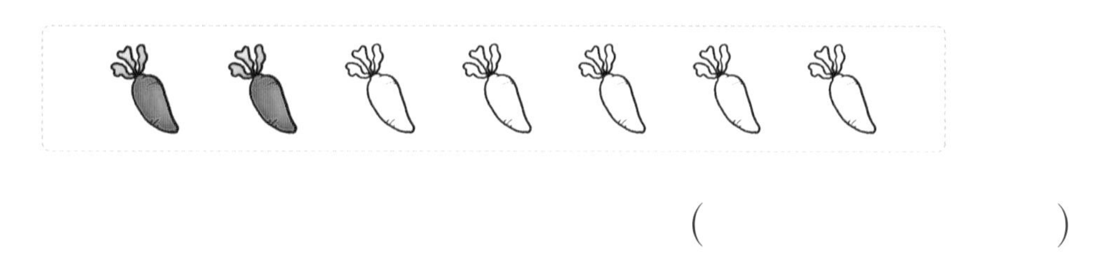

(　　　　　　　　)

3 탈출 방법을 보고 비밀의 방을 탈출하려고 합니다. 어떤 문으로 나가야 하는지 찾아보세요.

탈출 방법

❶ 7보다 작은 수가 적힌 문을 찾아보세요.

❷ 5보다 크고 9보다 작은 수가 적힌 문을 찾아보세요.

❶ 문에 적혀 있는 수 중에서 7보다 작은 수를 모두 찾아 써 보세요.

( )

❷ 위 ❶의 수 중에서 5보다 크고 9보다 작은 수를 찾아 써 보세요.

( )

❸ 어떤 수가 적힌 문으로 나가야 비밀의 방을 탈출할 수 있을까요?

( )

4 화살표 ➡와 ⇨의 규칙은 다음과 같습니다. 규칙을 보고 물음에 답하세요.

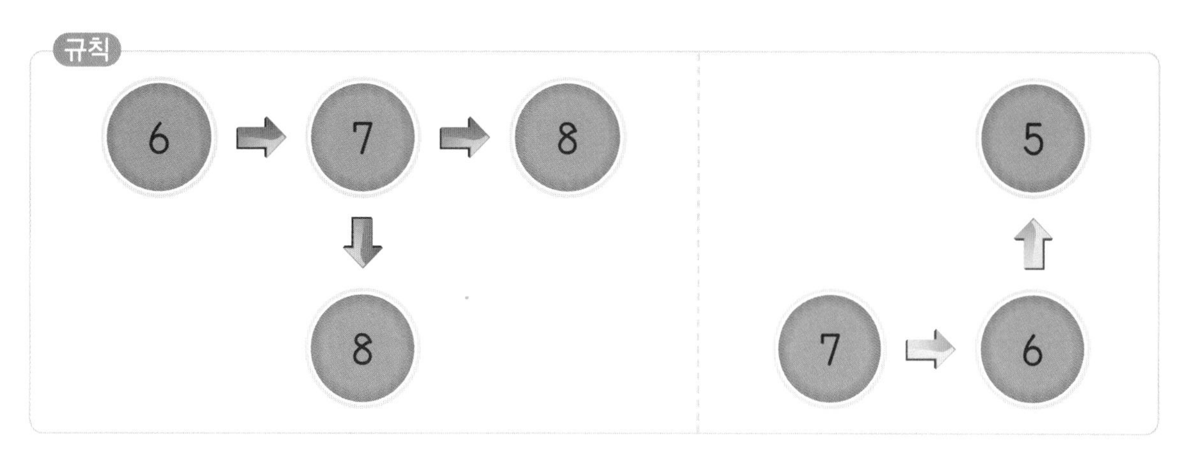

① ➡와 ⇨의 규칙을 찾아 ○표 하세요.

➡: 1만큼 더 (큰 수 , 작은 수)를 쓰는 규칙입니다.

⇨: 1만큼 더 (큰 수 , 작은 수)를 쓰는 규칙입니다.

② ➡와 ⇨의 규칙에 따라 빈 곳에 알맞은 수를 써넣으세요.

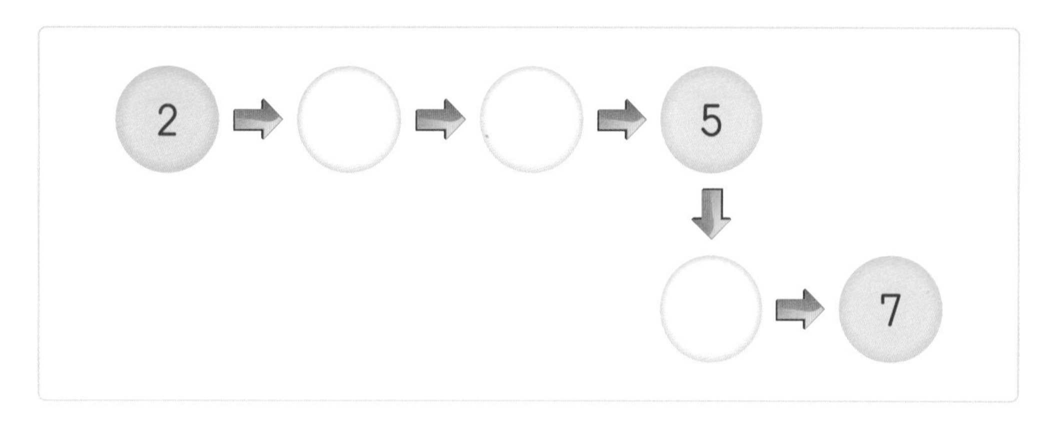

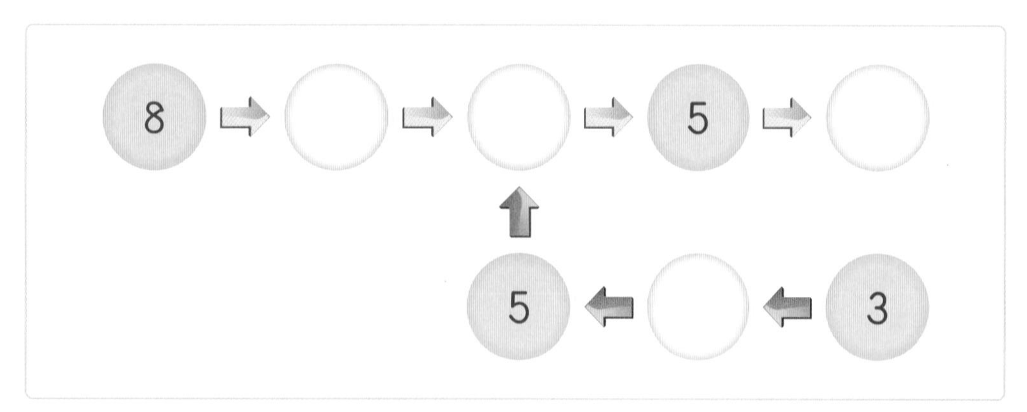

3단계 교과 사고력 완성

평가 영역 □개념 이해력 □개념 응용력 ☑창의력 □문제 해결력

1 다리 놓기 퍼즐은 보기와 같이 ○ 안의 수와 ○에 연결된 선의 수를 같게 만드는 퍼즐입니다. ○ 안의 수에 맞게 선을 그어 다리 놓기 퍼즐을 완성해 보세요.

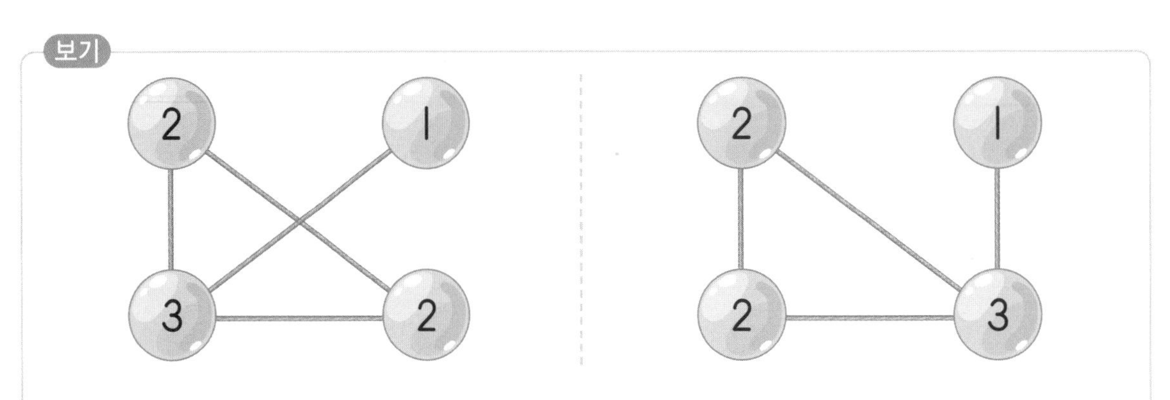

• ① 에 연결된 선의 수는 1개입니다.

• ② 에 연결된 선의 수는 2개입니다.

• ③ 에 연결된 선의 수는 3개입니다.

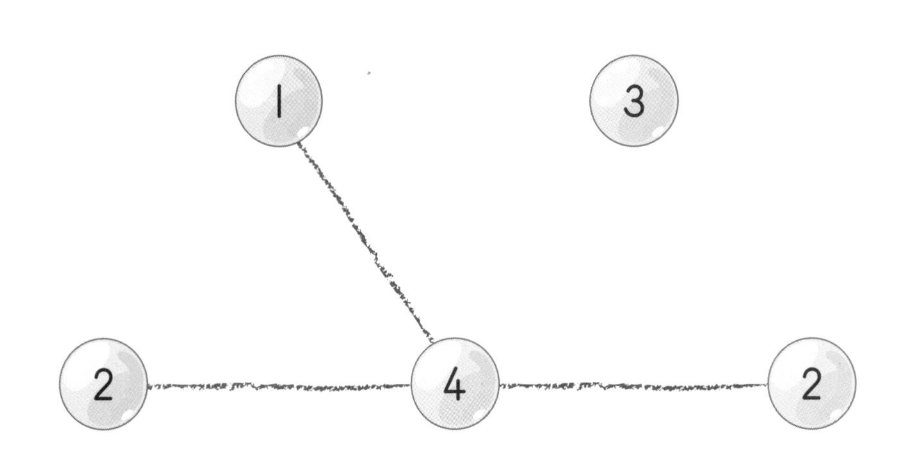

평가 영역 □개념 이해력 □개념 응용력 ☑창의력 □문제 해결력

2

각 줄에 1, 2, 3이 한 번씩만 들어가도록 ○ 안에 알맞은 수를 써넣으세요.

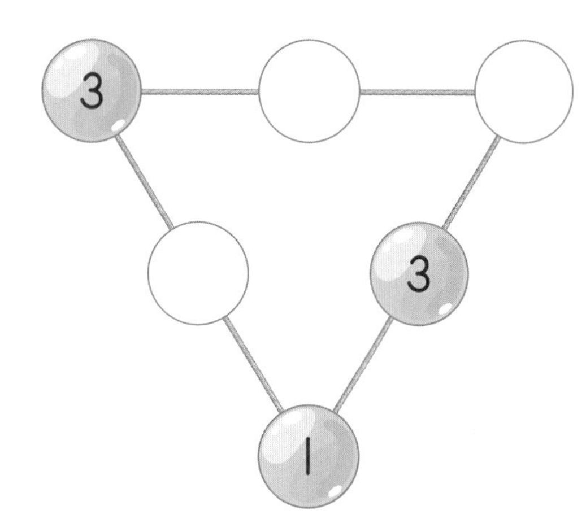

3

각 가로줄과 세로줄에 1, 2, 3, 4가 한 번씩만 들어가도록 빈칸에 알맞은 수를 써넣으세요.

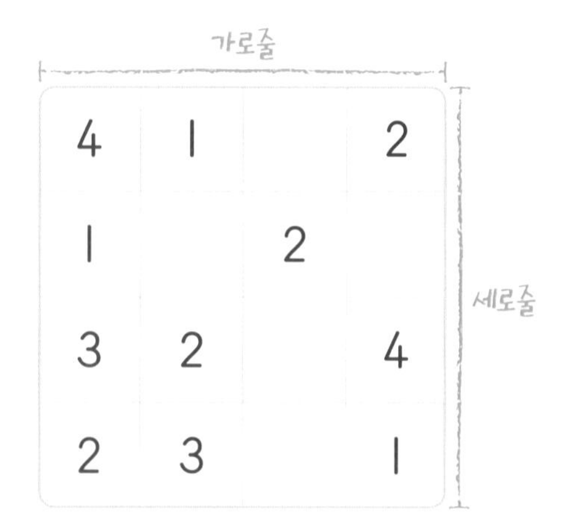

1. 9까지의 수

맞은 개수

1 수를 세어 빈 곳에 알맞은 수를 써넣으세요.

(1)

(2)

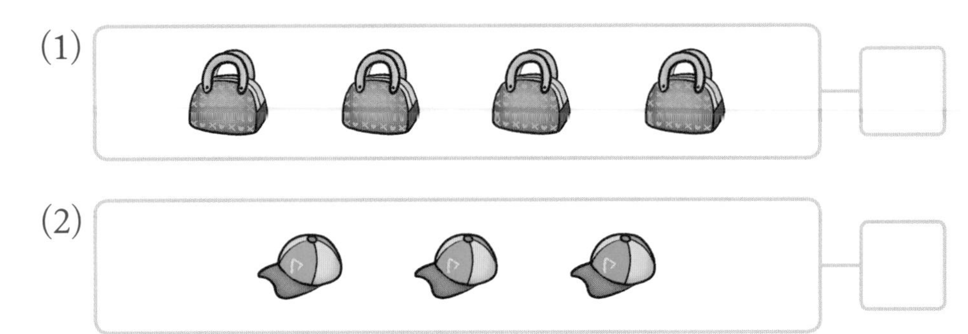

2 나타내는 수가 8인 것을 찾아 ○표 하세요.

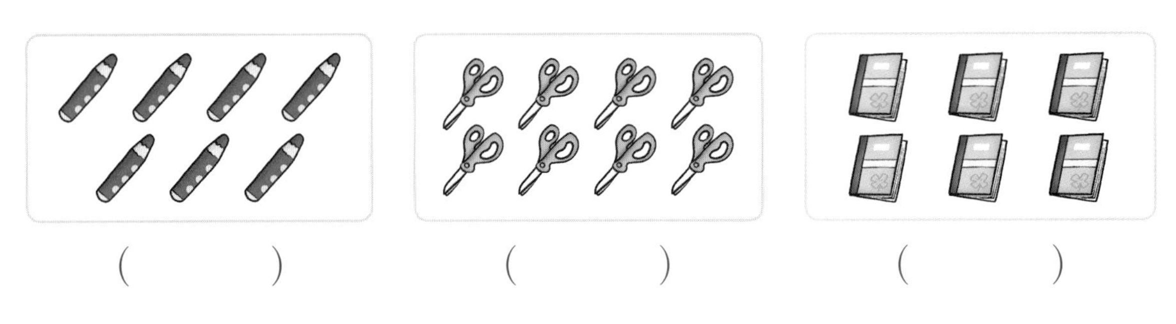

( ) ( ) ( )

3 강아지의 수를 2가지 방법으로 읽어 보세요.

(,)

4 순서에 맞게 빈칸에 알맞은 수를 써넣으세요.

5 알맞게 이어 보세요.

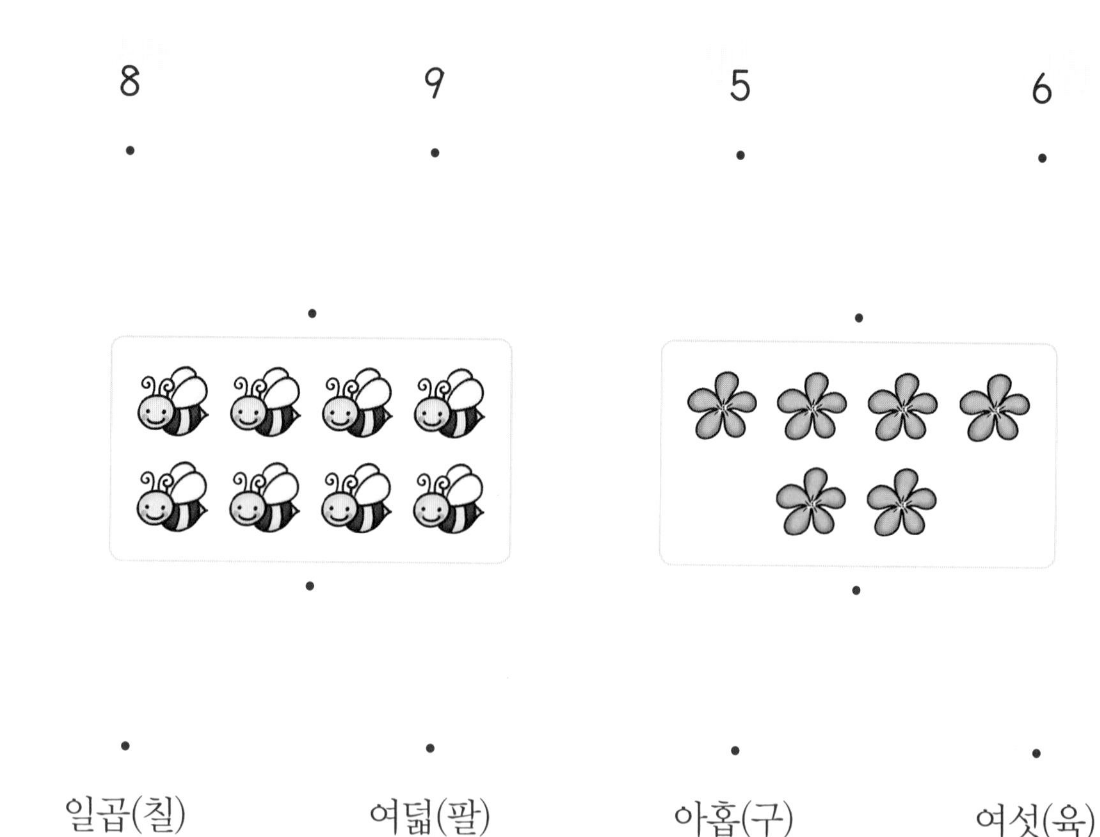

6 왼쪽 그림의 수보다 1만큼 더 작은 수를 나타내는 것에 ○표 하세요.

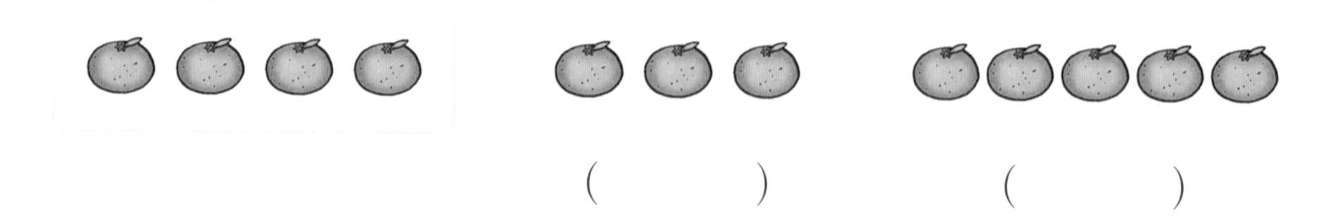

7 그림을 보고 쓴 수를 바르게 고쳐 □ 안에 써넣으세요.

토끼가 5마리 있습니다.

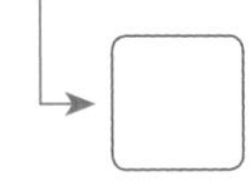

□

8 바나나는 왼쪽에서 몇째에 있는지 써 보세요.

(　　　　　　　　　)

9 빵과 아이스크림의 수를 빈 곳에 써넣고 두 수의 크기를 비교해 보세요.

□ 

 □

(1) 빵은 아이스크림보다 (많습니다 , 적습니다).

(2) 7은 □ 보다 (큽니다 , 작습니다).

10 □ 안에 알맞은 수를 써넣으세요.

(1) 4보다 1만큼 더 큰 수는 □ 입니다.

(2) 1보다 1만큼 더 작은 수는 □ 입니다.

11 가장 큰 수에 ○표, 가장 작은 수에 △표 하세요.

12 연못 안에 백조가 3마리, 오리가 5마리 있습니다. 백조와 오리 중에서 더 적은 것은 무엇일까요?

(　　　　　　　　)

13 정수는 연필을 4자루 가지고 있습니다. 승연이는 정수보다 연필을 1자루 더 많이 가지고 있습니다. 승연이가 가지고 있는 연필은 몇 자루일까요?

(　　　　　　　　)

14 풀의 수보다 하나 더 적게 ○를 그리고, 빈 곳에 알맞은 수를 써넣으세요.

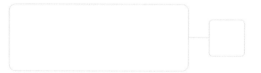

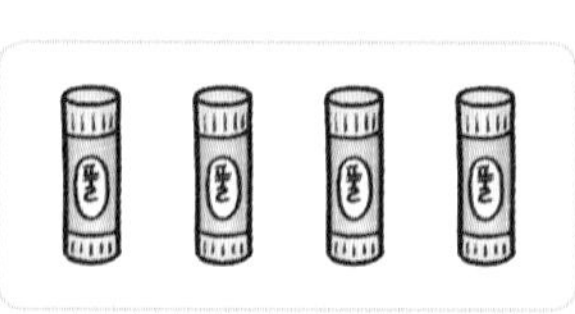

15 다음 중에서 규칙이 다른 하나에 ○표 하세요.

1 → 2	5 → 6	4 → 3	8 → 9
( )	( )	( )	( )

16 다음 두 조건을 만족하는 수를 모두 구해 보세요.

- 3보다 크고 8보다 작은 수입니다.
- 5보다 큰 수입니다.

( )

17 자전거 자물쇠의 번호를 찾아 ㉠과 ㉡에 알맞은 수를 써넣으세요.

㉠ ( )

㉡ ( )

특강 창의·융합 사고력

정답과 풀이 p.12

1 현악기란 줄을 이용하여 연주하는 악기입니다. 우리나라의 전통 현악기 중 거문고와 해금이 있습니다. 거문고는 여섯 개의 줄을 치거나 뜯어서 연주하는 악기이고, 해금은 두 개의 줄 사이에 활을 넣어 연주하는 악기입니다. 다음을 보고 물음에 답하세요.

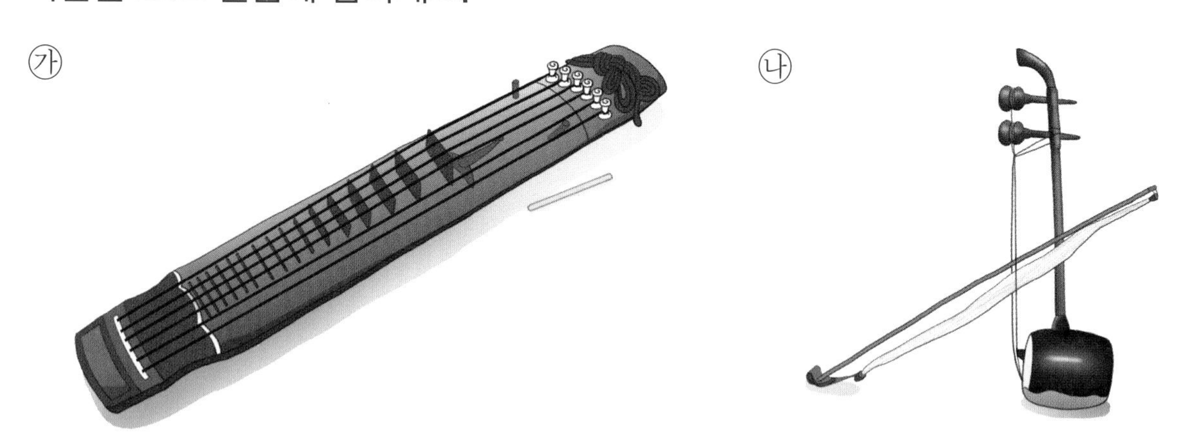

(1) ㉮와 ㉯는 각각 어떤 악기인지 써 보세요.

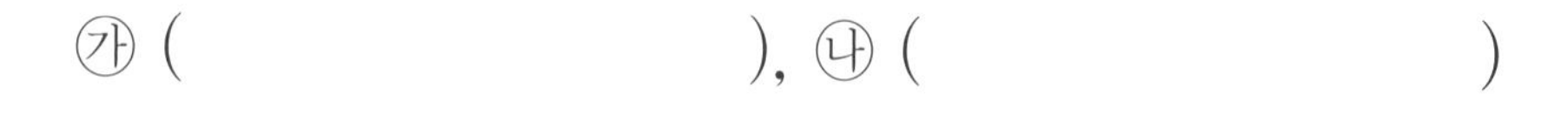

(2) 거문고와 해금 중에서 어느 악기의 줄이 더 많을까요?

( )

(3) 오른쪽은 아쟁이라는 악기입니다. 오른쪽 아쟁의 줄은 거문고의 줄의 수보다 1만큼 더 많습니다. 이 아쟁의 줄은 몇 개일까요?

( )

여러 가지 모양

생활 주변에 있는 여러 가지 모양

우리 주변에는 여러 가지 모양의 물건들이 있습니다.

물건들을 잘 살펴보면 대부분 모양, 모양, 모양으로 되어 있는 것을 알 수 있습니다. 이와 같이 대부분의 물건들이 모양, 모양, 모양으로 만들어진 이유는 무엇일까요?

물건의 모양과 쓰임새

만약 축구공이 모양으로 생겼다면 어떤 일이 생길까요?

또, 물건을 담는 상자가 모양으로 생겼다면 어떨까요?

이처럼 어떠한 물건을 만들 때에는 여러 가지 모양의 특징과 그 물건의 쓰임새를 잘 생각해야 합니다. 이번 단원에서 배우는 모양, 모양, 모양의 특징을 잘 알면 물건을 쓰임새에 맞게 만들어 사용할 수 있습니다.

도형의 이름을 정해 보세요.

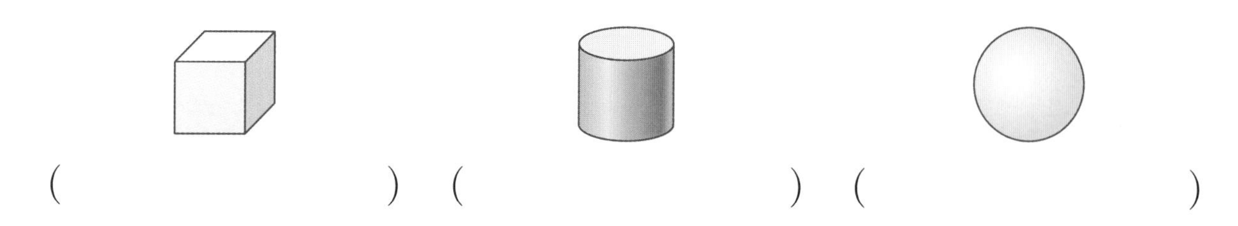

(　　　　　　　　) (　　　　　　　　) (　　　　　　　　)

친구들이 생각하는 모양을 보고 교실에 있는 물건을 이어 보세요.

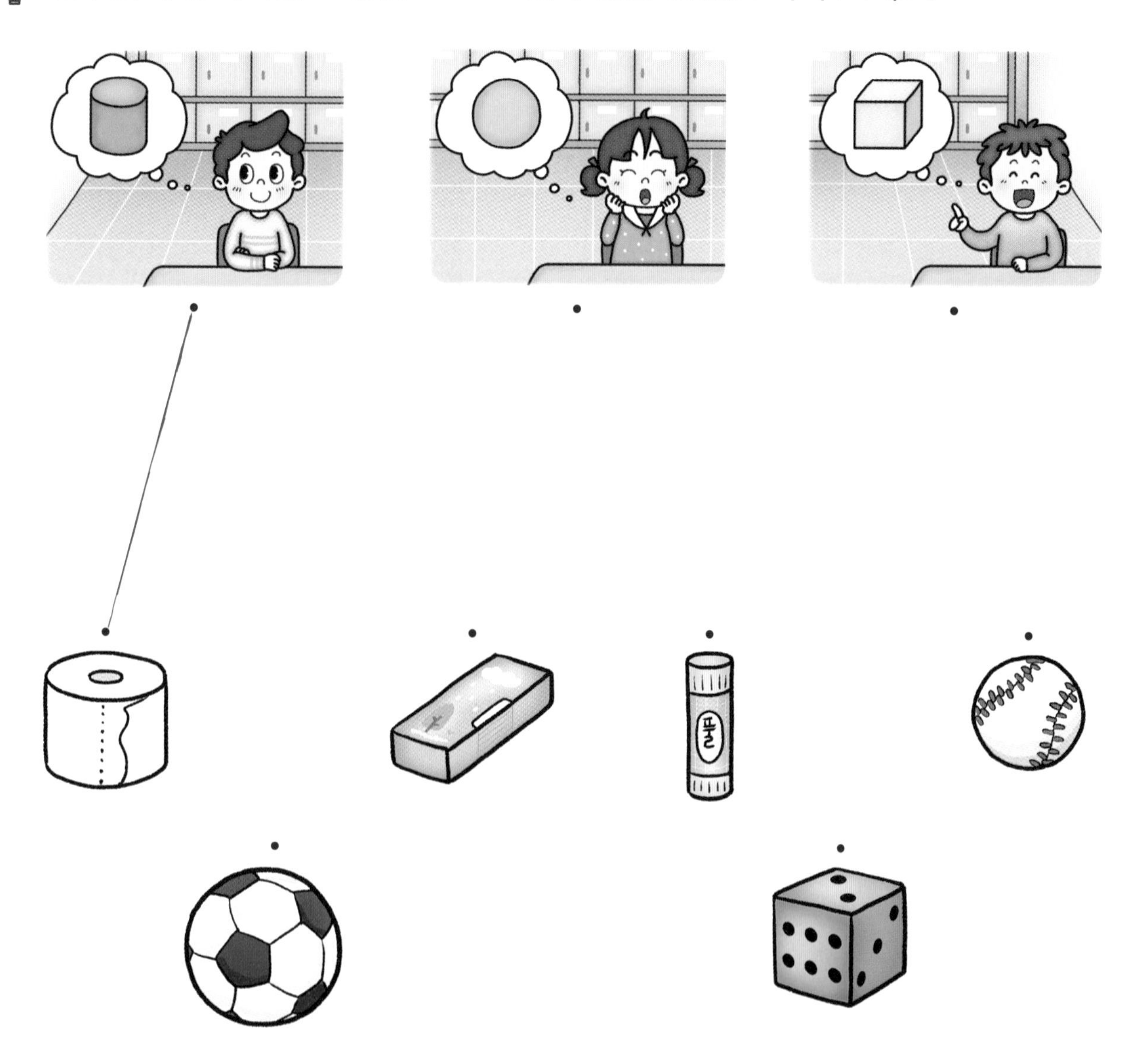

1단계 교과서 개념 잡기

개념 1 여러 가지 모양 찾아보기

• [상자] 모양, [원기둥] 모양, [공] 모양 찾아보기

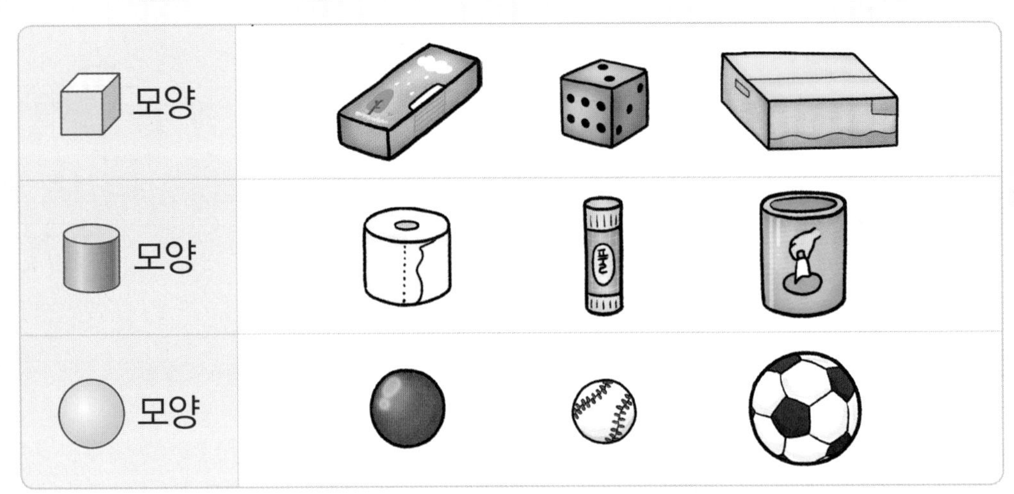

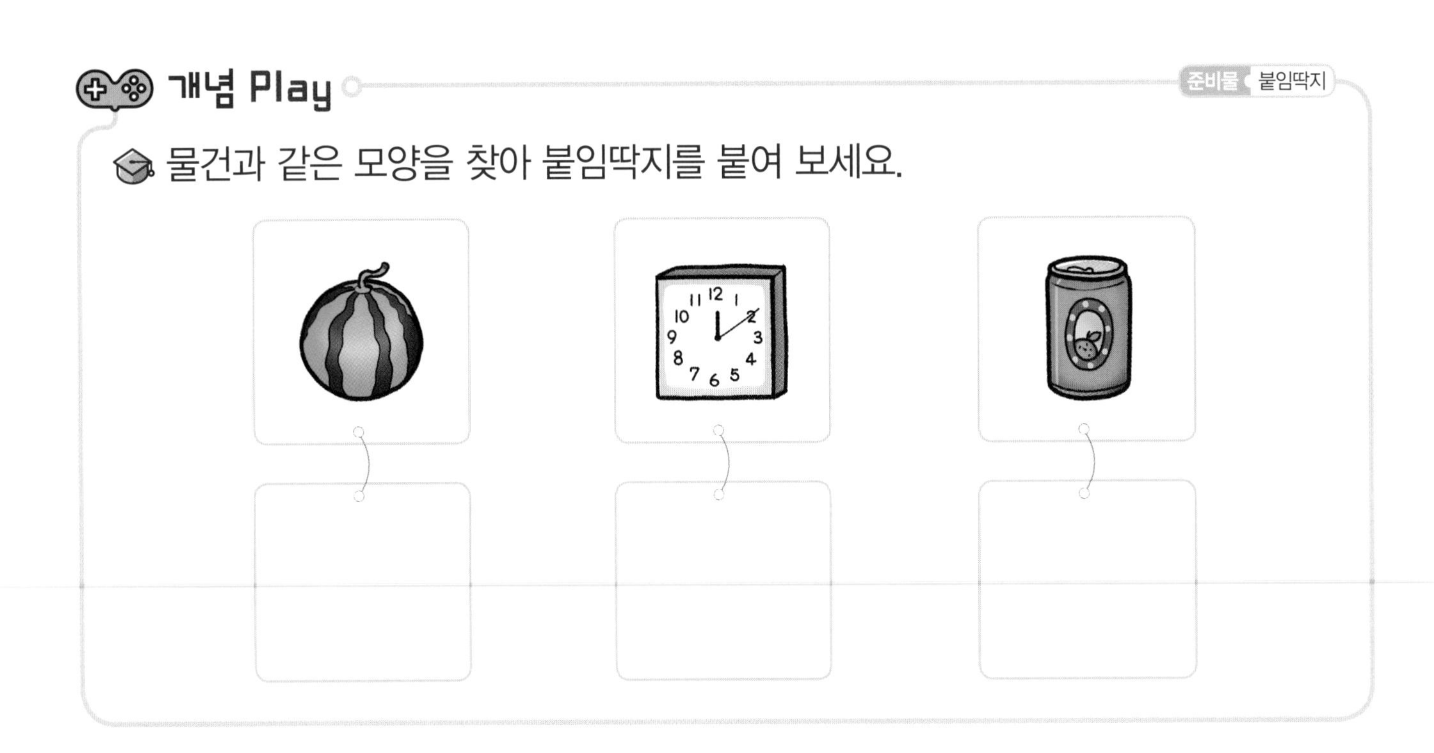

개념 Play

준비물 붙임딱지

물건과 같은 모양을 찾아 붙임딱지를 붙여 보세요.

개념 확인 문제

1-1 왼쪽 모양과 같은 모양을 찾아 ○표 하세요.

1-2 모양에 □표, 모양에 △표, 모양에 ○표 하세요.

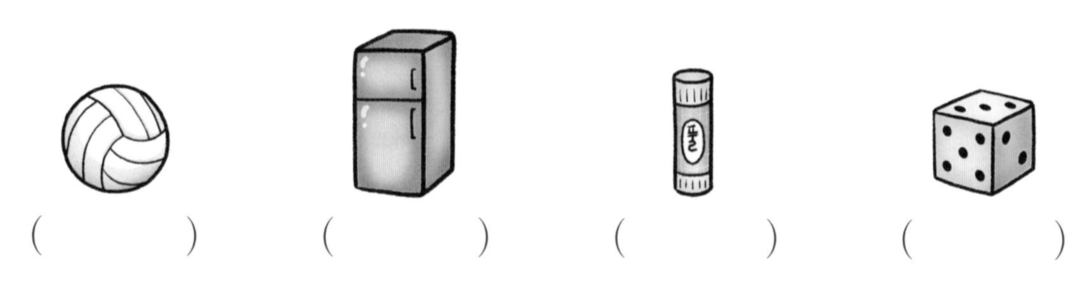

( ) ( ) ( ) ( )

1-3 모양이 다른 하나에 ○표 하세요.

( ) ( ) ( ) ( )

1 단계 교과서 **개념** 잡기

개념 2 같은 모양끼리 모아 보기

같은 모양끼리 모을 때에는 물건의 크기나 색깔은 생각하지 않고, 모양만 살펴 봅니다.

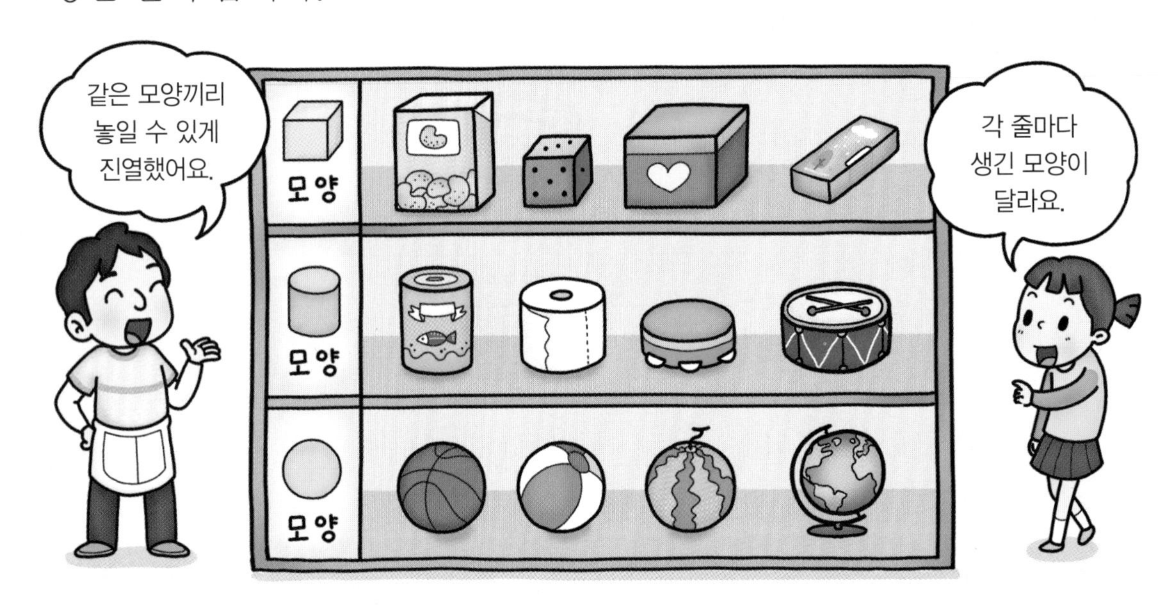

- 는 네모나고 끝이 뾰족하게 생겼습니다.
- 은 둥글고 길쭉하게 생겼습니다.
- 은 둥글게 생겼습니다.

개념 Play

준비물 붙임딱지

빈 곳에 붙임딱지를 붙여 같은 모양끼리 모아 보세요.

정답과 풀이 p.14

2-1 같은 모양끼리 이어 보세요.

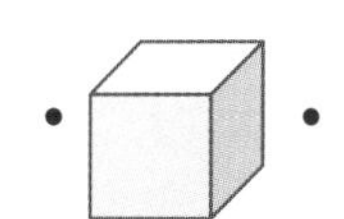
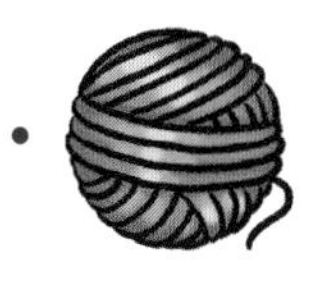

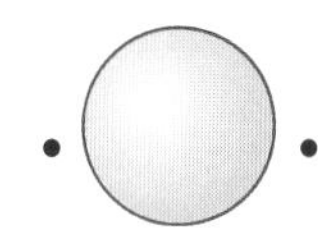

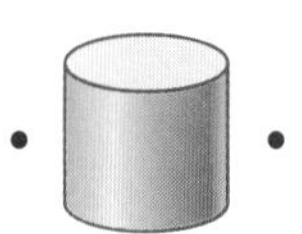
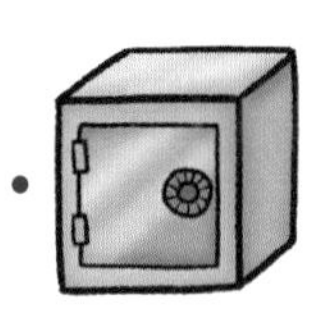

2-2 같은 모양끼리 모은 것입니다. 어떤 모양을 모은 것인지 찾아 ○표 하세요.

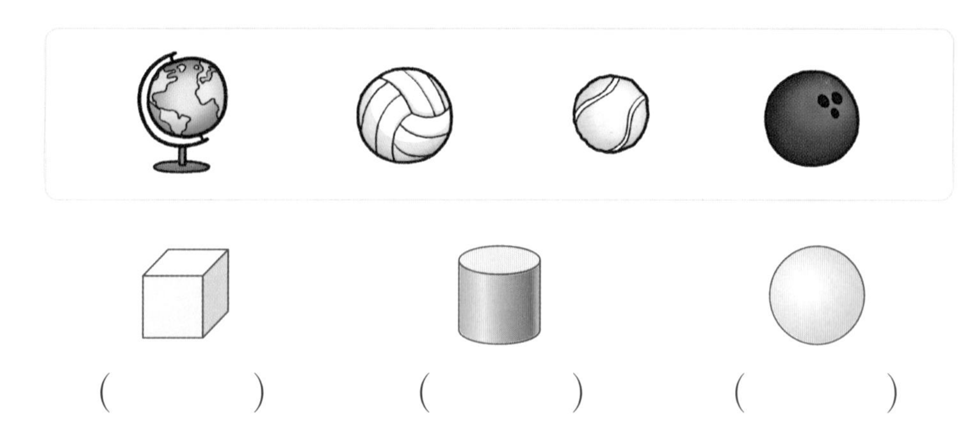

( ) ( ) ( )

2-3 왼쪽 모양과 같은 모양끼리 모은 것입니다. 잘못 모은 것에 ○표 하세요.

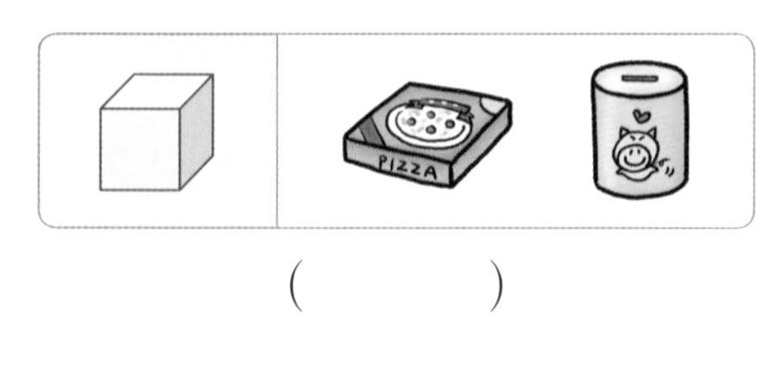

( )

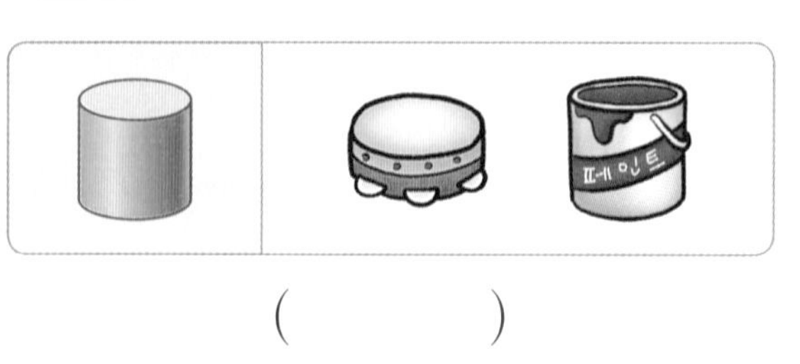

( )

개념 3 여러 가지 모양 알아보기

• 모양의 일부분만 보고 전체 모양 알아보기

• 여러 가지 모양의 특징 알아보기

(상자), (원기둥), (공) 모양을 쌓아 보고 굴려 보면 다음과 같습니다.

모양	특징
(상자)	• 잘 쌓을 수 있습니다. • 어느 방향으로 굴려도 잘 굴러가지 않습니다.
(원기둥)	• 세우면 평평한 부분으로 잘 쌓을 수 있습니다. • 눕히면 잘 굴러갑니다.
(공)	• 쌓을 수 없습니다. • 어느 방향으로 굴려도 잘 굴러갑니다.

정답과 풀이 p.14

3-1 상자 안의 모양을 보고 전체 모양을 찾아 알맞게 이어 보세요.

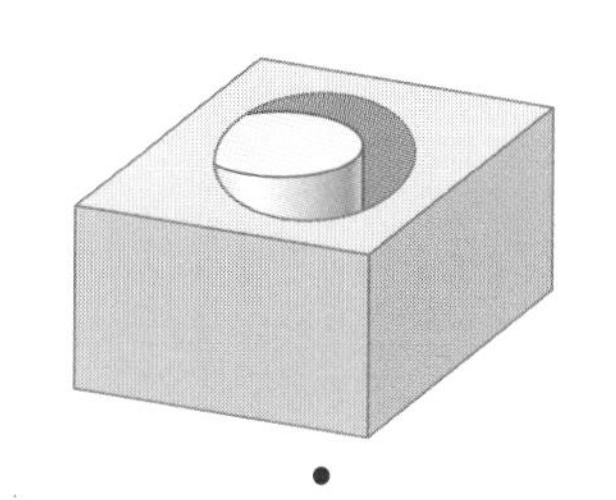
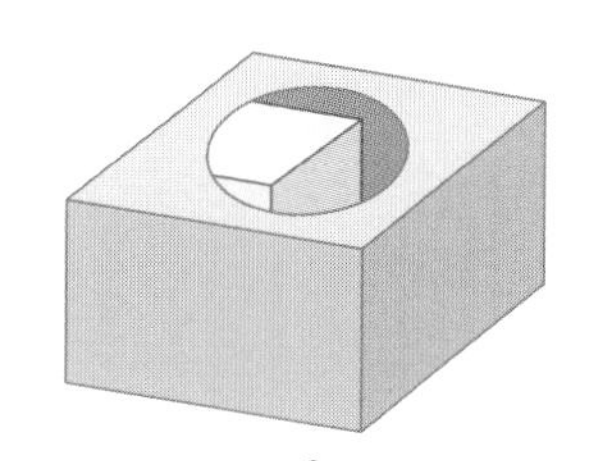
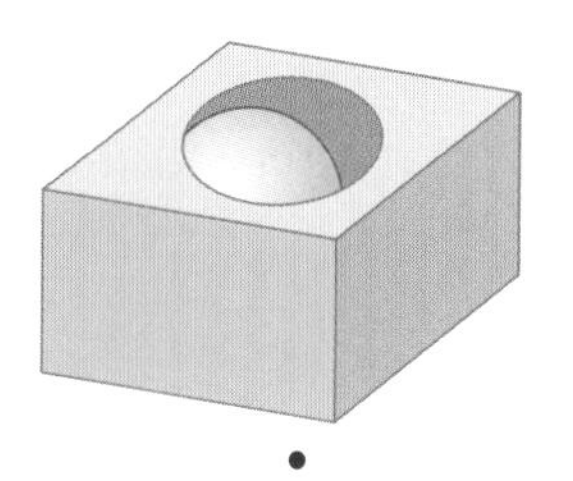

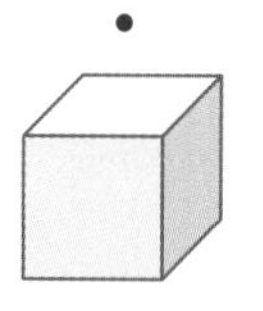
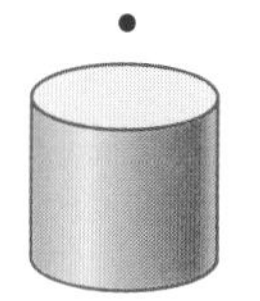
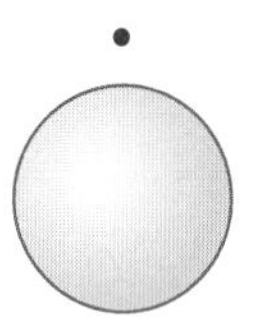

3-2 설명하는 모양을 찾아 이어 보세요.

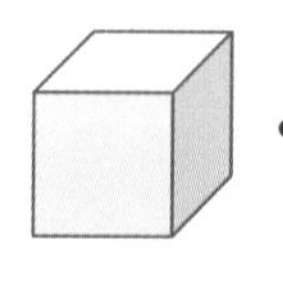
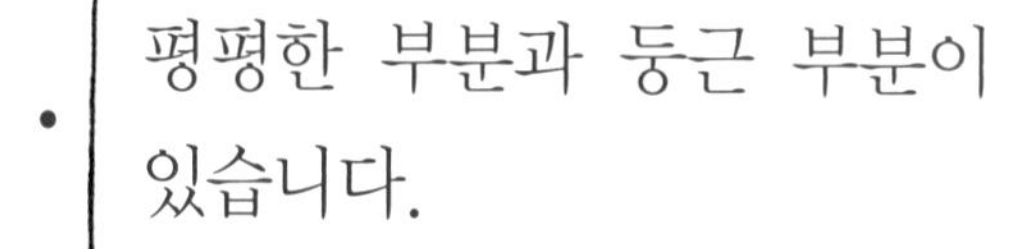

평평한 부분과 둥근 부분이 있습니다.

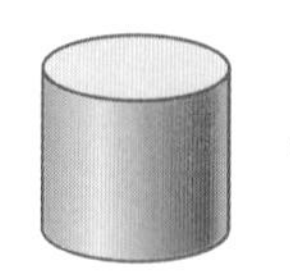

둥근 부분만 있어서 쌓을 수 없습니다.

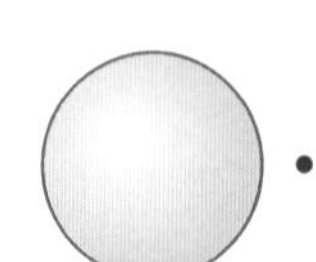

뾰족한 부분이 있고 잘 쌓을 수 있습니다.

3-3 잘 굴러가는 모양을 모두 찾아 기호를 써 보세요.

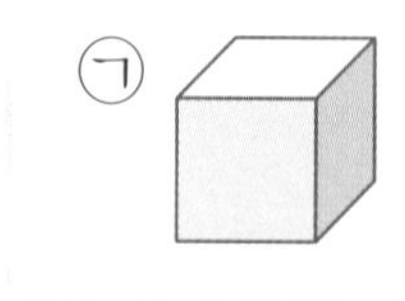

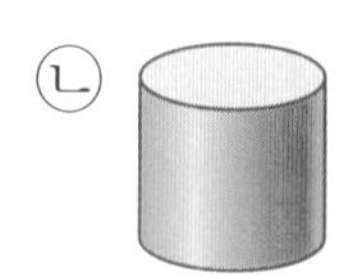

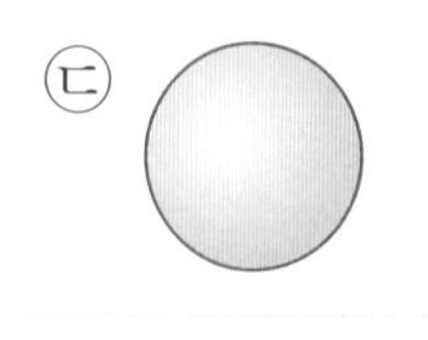

(   )

개념 4 여러 가지 모양 만들기

• , , 모양을 이용하여 로봇 만들기

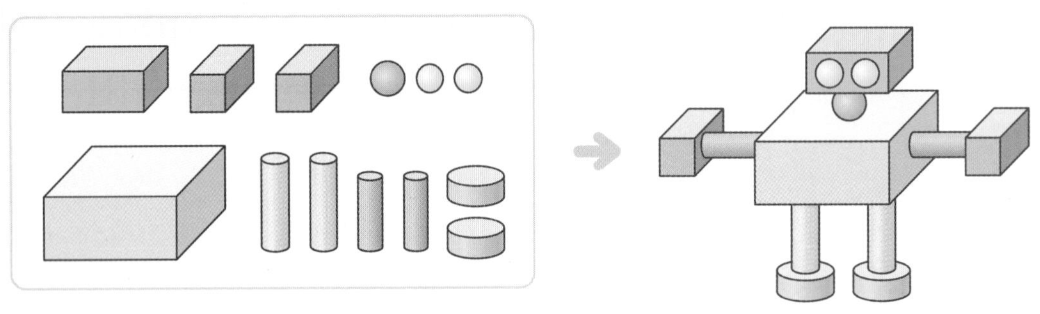

모양 4개, 모양 6개, 모양 3개를 이용하여 만들었습니다.

• 이용한 모양의 개수 알아보기

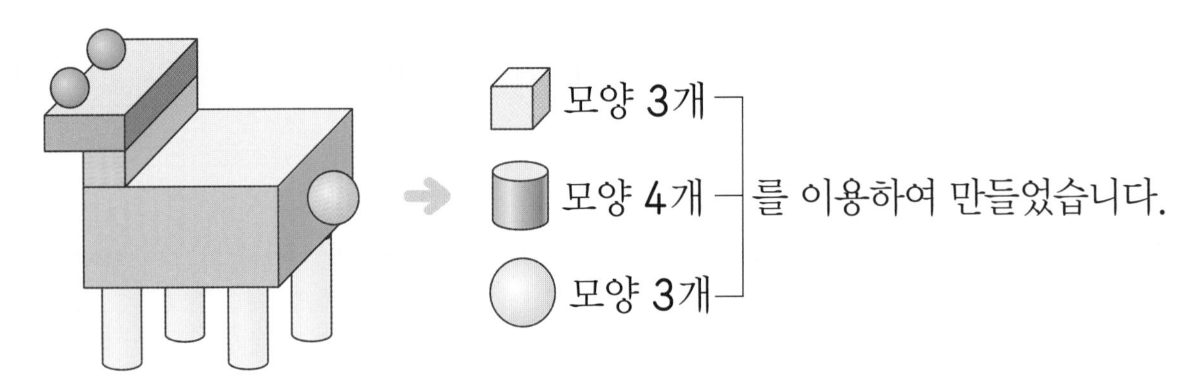

모양 3개
모양 4개 를 이용하여 만들었습니다.
모양 3개

개념 Play

준비물 붙임딱지

주어진 모양을 모두 이용하여 오른쪽에 나만의 모양을 만들려고 합니다. 빠진 모양의 붙임딱지를 붙여 나만의 모양을 완성해 보세요.

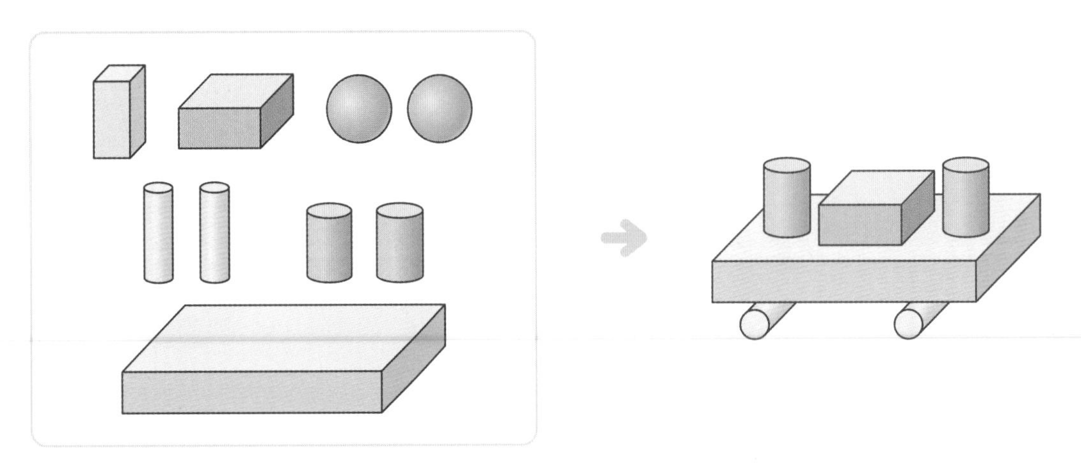

정답과 풀이 p.15

4-1 다음 모양을 만드는 데 이용한 모양을 찾아 ○표 하세요.

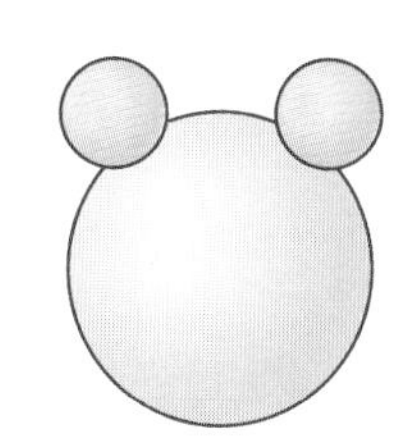

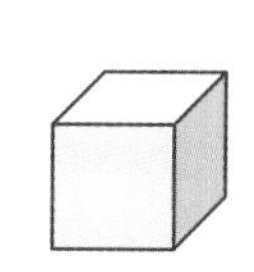 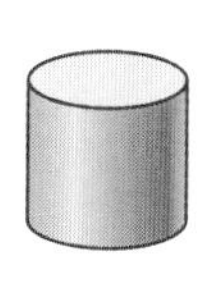 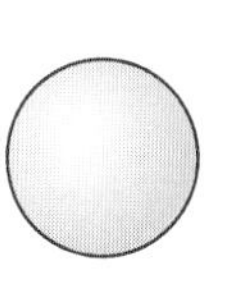

4-2 다음 모양을 만드는 데 이용하지 않은 모양을 찾아 ○표 하세요.

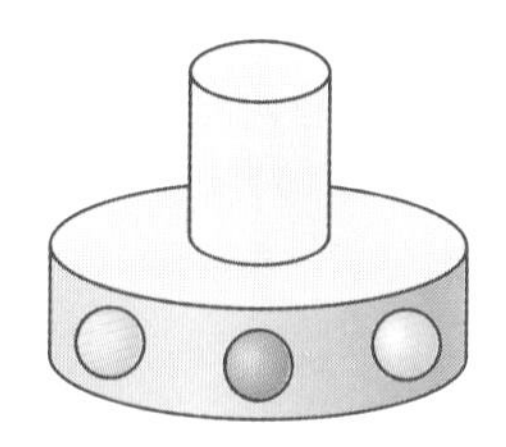

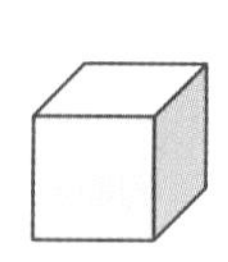 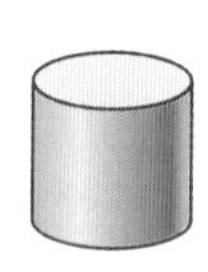 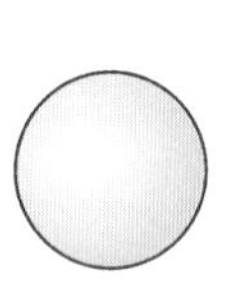

4-3 은지가 만든 모양입니다. □ 모양을 몇 개 이용했는지 세어 보세요.

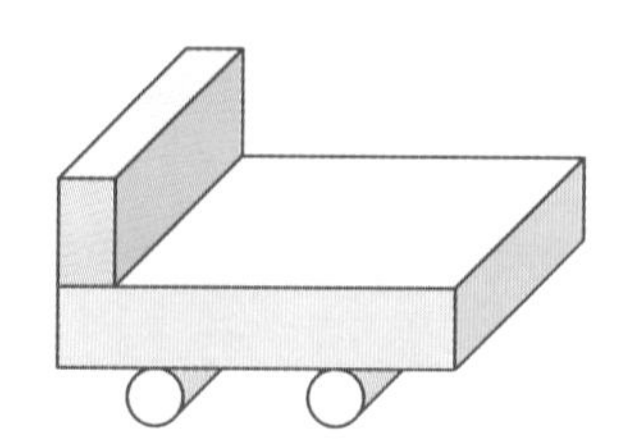

(　　　　　　　)

4-4 다음 모양을 만드는 데 □, □, ○ 모양을 몇 개 이용했는지 세어 보세요.

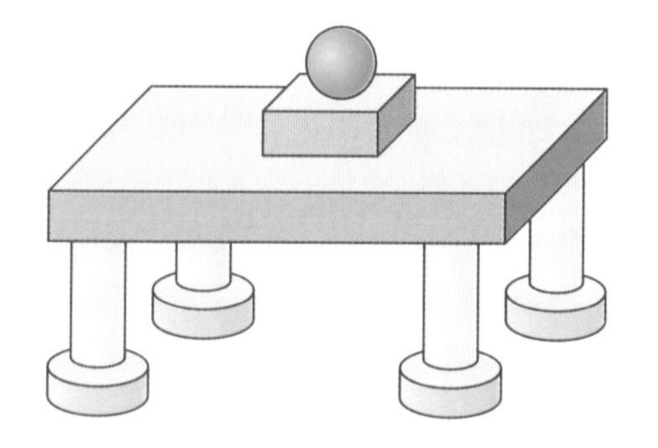

□ 모양: □개

□ 모양: □개

○ 모양: □개

PLAY 교과서 개념 스토리

방에 있는 물건 정리하기

준비물 붙임딱지

오른쪽에 있는 방을 정리하려고 해요.

보기 와 같이 주어진 장소에 알맞은 모양의 물건 붙임딱지를 붙여서 방을 정리해 보세요.

예
예
예
2
단원
교과서

PLAY 교과서 개념 스토리

전시장 꾸미기

준비물 붙임딱지

인영이는 전시장에 봉사 활동을 갔습니다.
전시 작품의 설명에 맞게 알맞은 작품을 올려야 하죠.
작품의 설명만 보고 어떻게 생긴 작품인지 알 수 있을까요?
작품 붙임딱지를 붙여 전시장을 함께 꾸며 보아요!

위로 쌓을 수 있고, 옆으로 놓으면 잘 굴러갑니다.
뾰족한 부분이 있고 잘 쌓을 수 있습니다.
평평한 부분과 둥근 부분이 있습니다.

어느 방향으로도
잘 굴러가지
않습니다.
잘 굴러가지만
잘 쌓을 수
없습니다.
둥근 부분만
있습니다.
2
단원
교과서

2단계 교과서 개념 다지기

개념 1 ◻ 모양, ◻ 모양, ◯ 모양 찾아보기

01 왼쪽 물건과 같은 모양을 찾아 ○표 하세요.

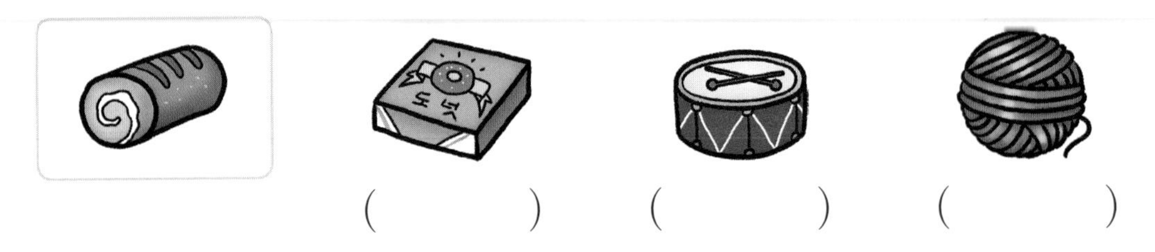

( ) ( ) ( )

02 ◯ 모양을 모두 찾아 기호를 써 보세요.

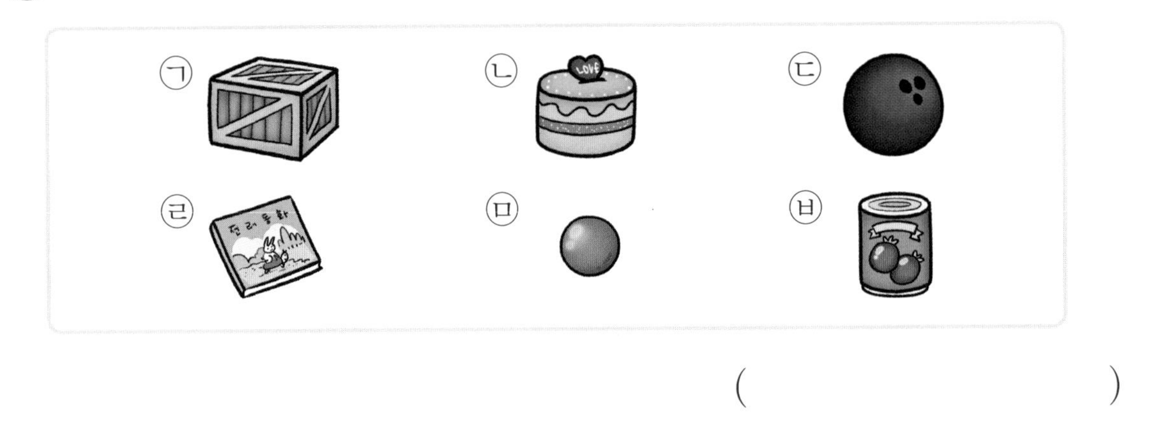

( )

03 보기와 같이 ◻ 모양을 모두 찾아 ○표 하세요.

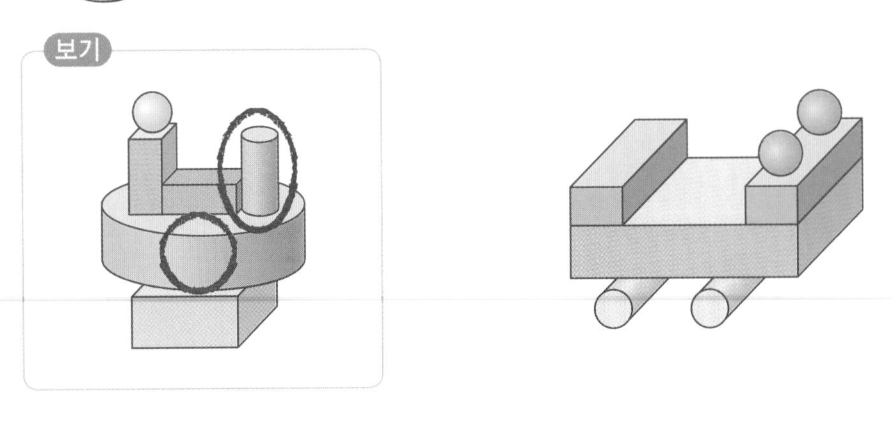

개념 2 같은 모양끼리 모으기

04 모양끼리 모으려고 합니다. 모양이 <u>다른</u> 것에 ×표 하세요.

05 같은 모양끼리 이어 보세요.

 • • 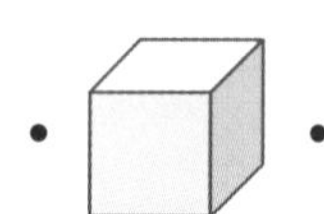 • • 

• • 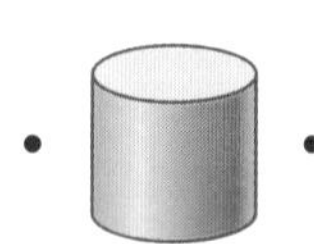 • • 

 • • 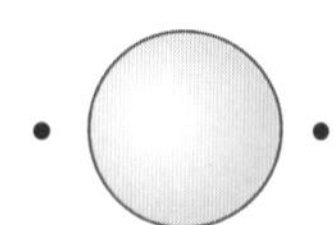 • • 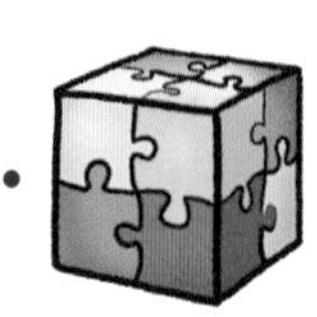

06 모양이 같은 것끼리 모은 것입니다. <u>잘못</u> 모은 쪽에 ×표 하세요.

(　　　)

(　　　)

개념 3 일부분만 보고 전체 모양 알아보기

07 어떤 물건의 일부분을 나타낸 것입니다. 알맞은 것에 ○표 하세요.

물건에 (뾰족한 , 둥근) 부분이 있습니다.

따라서 ([상자 모양] , [둥근기둥 모양] , [공 모양]) 모양의 물건입니다.

08 모양의 일부분이 [그림] 와 같은 물건을 바르게 찾은 사람은 누구인지 써 보세요.

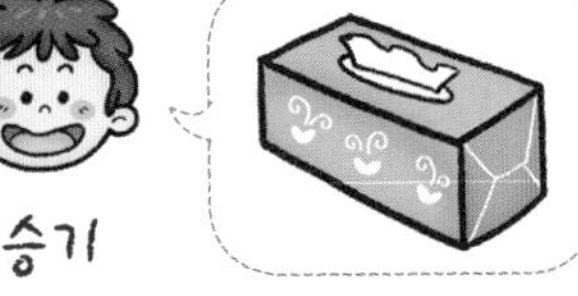

( )

09 모양의 일부분이 왼쪽 그림과 같은 물건을 모두 찾아 기호를 써 보세요.

( )

여러 가지 모양의 특징 알아보기

10 쌓을 수 있는 물건에 모두 ○표 하세요.

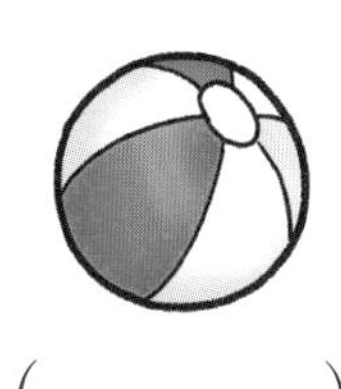

(　　　) (　　　) (　　　)

11 주어진 물건의 모양에 대한 설명 중 틀린 것을 찾아 기호를 써 보세요.

㉠ 모든 부분이 둥근 모양입니다.
㉡ 잘 굴러갑니다.
㉢ 평평한 부분과 둥근 부분이 있습니다.

(　　　　　　)

12 은지가 설명하는 모양의 물건을 주변에서 찾아 3가지만 써 보세요.

뾰족한 부분이 있고 잘 쌓을 수 있어!

(　　　　　　　　　　　　　　)

개념 5 여러 가지 모양 만들기

13 왼쪽 모양을 만드는 데 이용하지 않은 모양에 ×표 하세요.

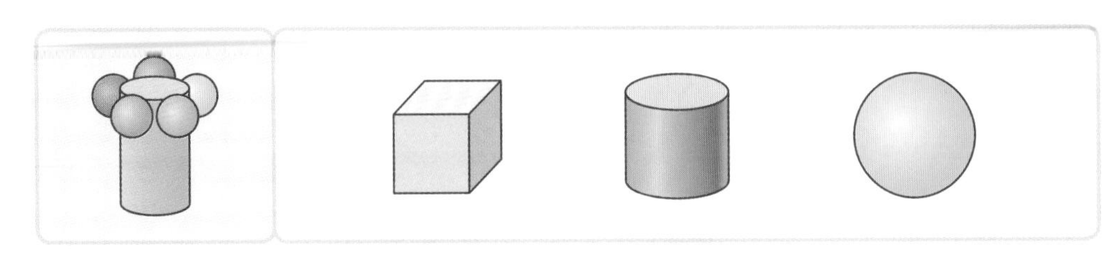

14 다음 모양을 만드는 데 ▢, ▢, ▢ 모양을 몇 개 이용했는지 세어 보세요.

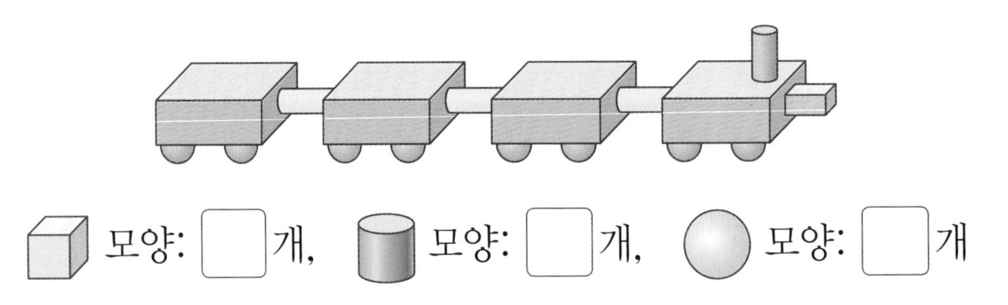

▢ 모양: ▢개, ▢ 모양: ▢개, ▢ 모양: ▢개

15 왼쪽 모양을 만드는 데 가장 많이 이용한 모양에 ○표 하세요.

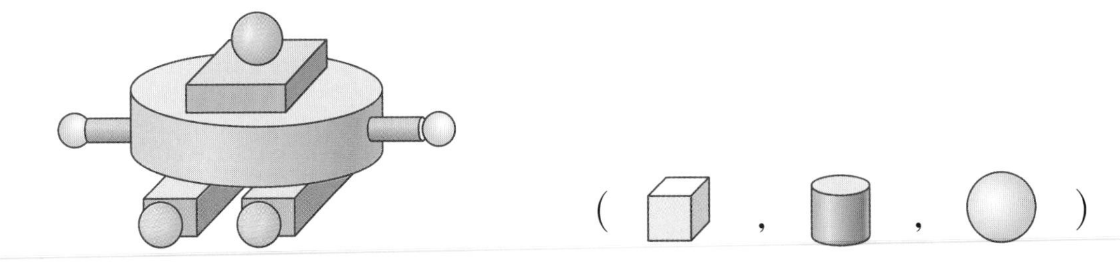

개념 6 **주어진 모양을 이용하여 만들 수 있는 것 찾아보기**

16 주어진 모양을 이용하여 만들 수 있는 것을 찾아 기호를 써 보세요.

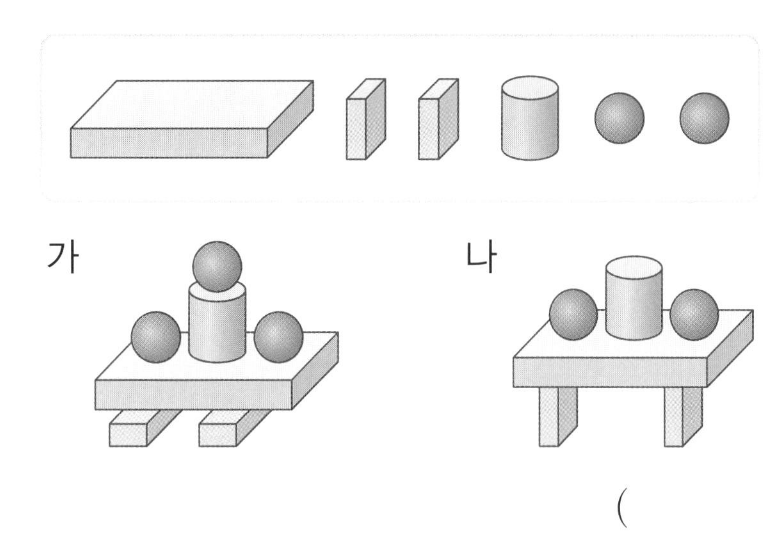

(　　　　　　　　)

17 주어진 모양을 이용하여 만들 수 있는 것을 찾아 이어 보세요.

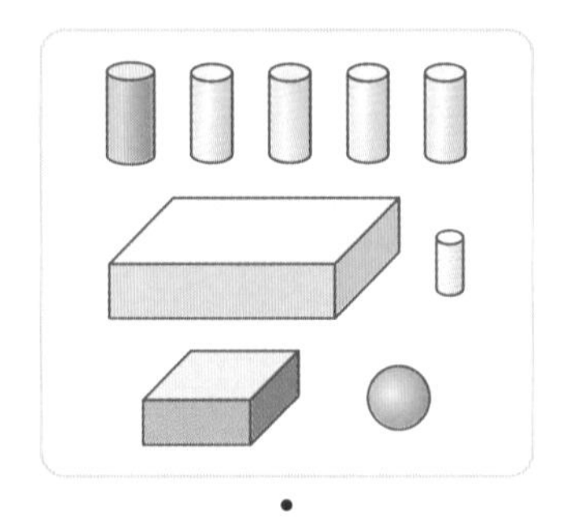
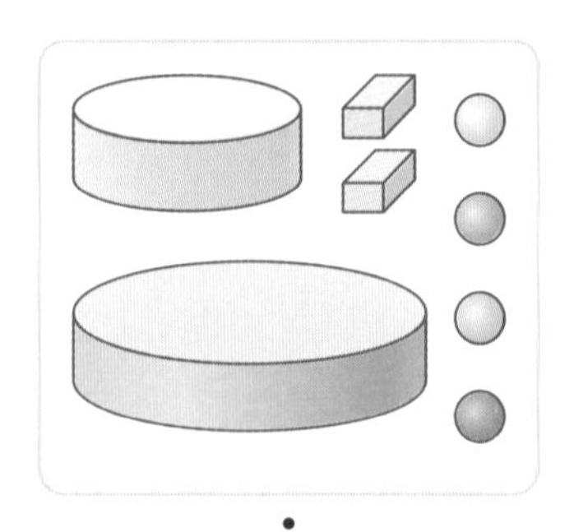
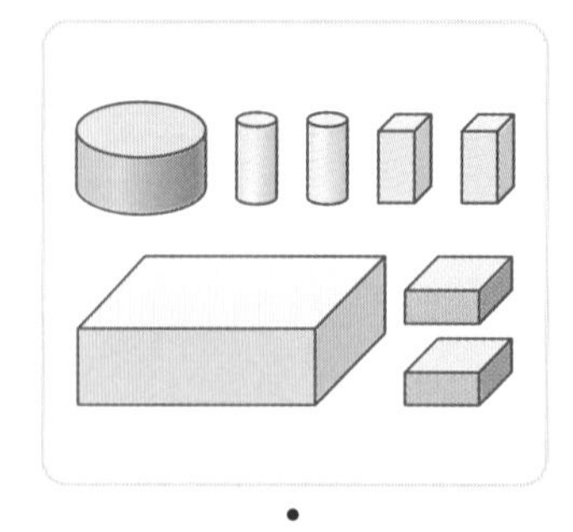

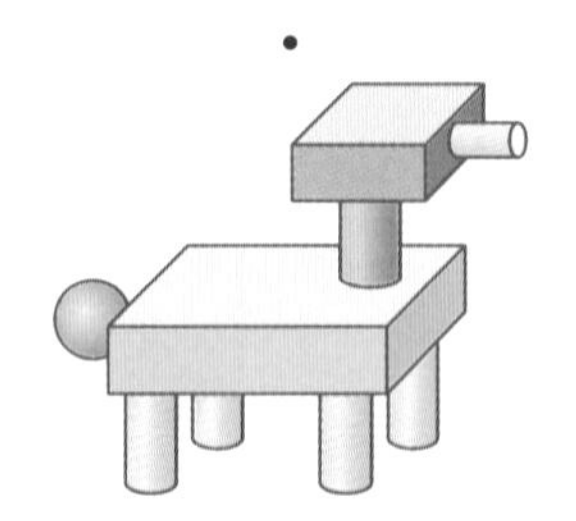
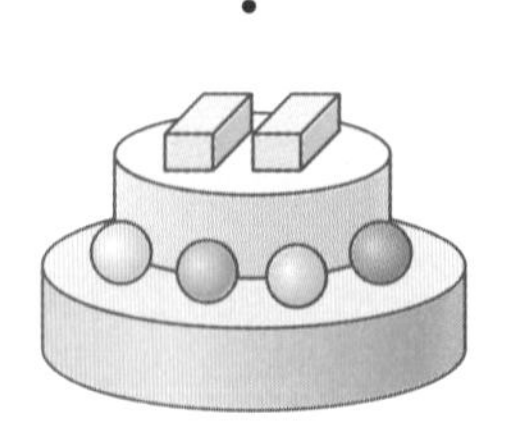

3단계 교과서 실력 다지기

★ 같은 모양끼리 모으기

1 왼쪽 물건과 같은 모양의 물건은 모두 몇 개일까요?

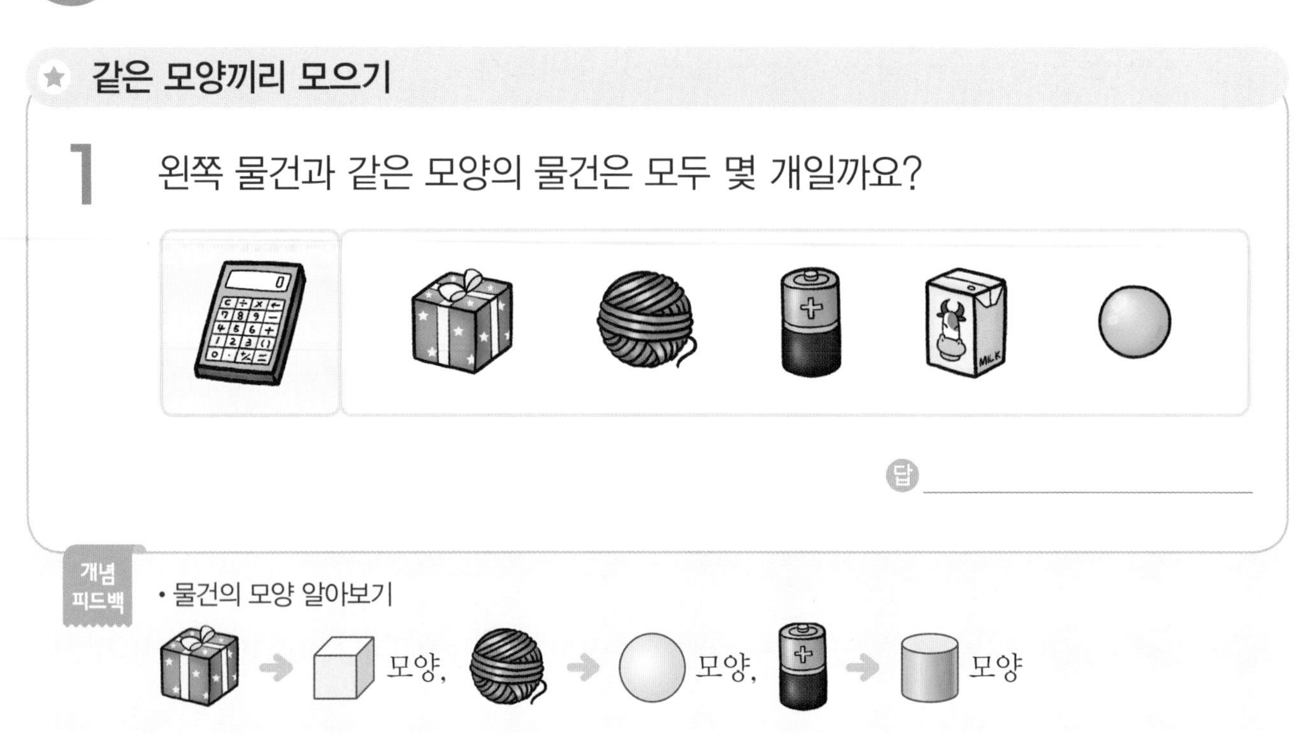

1-1 왼쪽 물건과 같은 모양이 아닌 것에 ×표 하세요.

1-2 모양이 같은 것끼리 모은 것에 ○표 하세요.

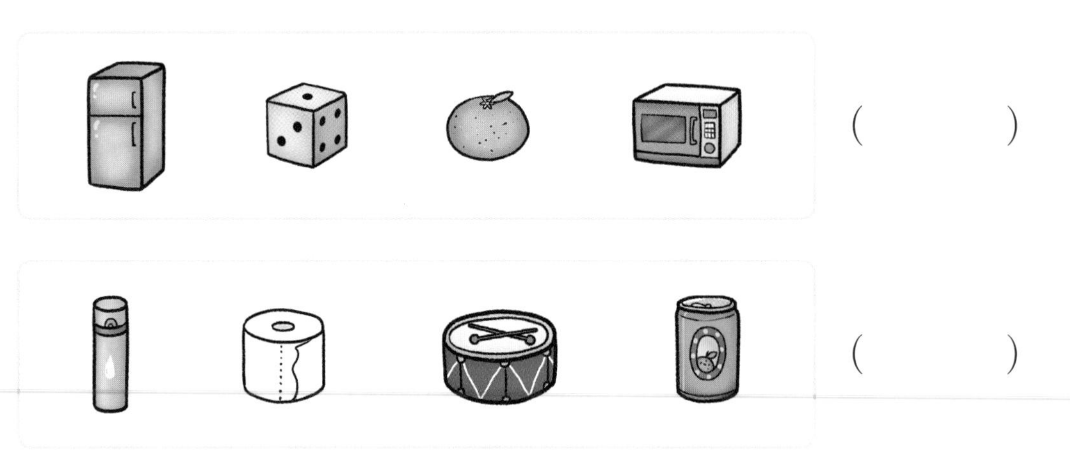

★ 여러 가지 모양 알아보기

2 둥근 부분이 있는 모양끼리 모은 사람은 누구일까요?

답 ______________

개념 피드백

• 여러 가지 모양의 특징

	모양	모양	모양
평평한 부분이 있습니다.	○	○	×
둥근 부분이 있습니다.	×	○	○

2-1 쌓을 수 <u>없는</u> 것에 ×표 하세요.

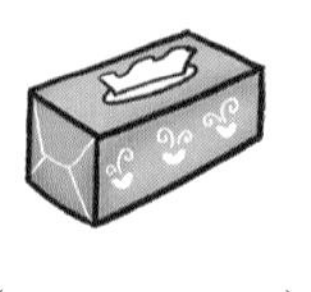

( ) ( ) ( )

2-2 평평한 부분이 가장 많은 모양을 찾아 기호를 써 보세요.

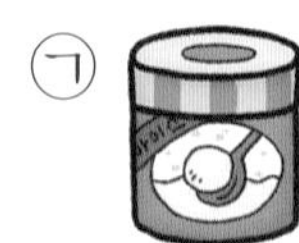

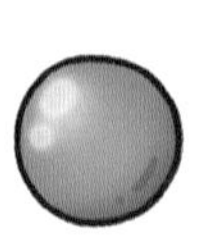

( )

★ 여러 가지 모양의 특징 알아보기

3 승기가 설명하는 모양의 물건을 찾아 ○표 하세요.

쌓을 수 있고
어느 방향으로도
잘 굴러가지 않아.

( ,  , )

개념 피드백

- 쌓을 수 있는 모양: □ 모양, ▯ 모양
- 잘 굴러가지 않는 모양: □ 모양

3-1 주어진 설명에 알맞은 모양의 물건을 모두 찾아 기호를 써 보세요.

㉠  ㉡ 

㉢ 

㉣  ㉤  ㉥ 

(1)
- 잘 쌓을 수 있습니다.
- 뾰족한 부분이 있습니다.

(　　　　　　　　)

(2)
- 평평한 부분이 있습니다.
- 둥근 부분이 있습니다.

(　　　　　　　　)

★ 일부분으로 전체 모양 알아보기

준비물 붙임딱지

4 모양의 일부분을 보고 빈 곳에 알맞은 모양의 붙임딱지를 붙여 보세요.

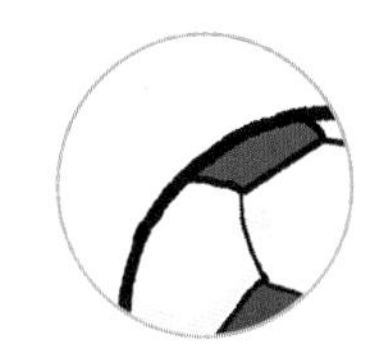

- 뾰족한 부분이 보이면 [상자] 모양입니다.
- 둥글고 기둥 같은 부분이 보이면 [원기둥] 모양입니다.
- 둥근 부분만 보이면 [공] 모양입니다.

4-1 모양의 일부분이 보이는 상자가 있습니다. 상자 안의 모양과 같은 모양의 물건은 모두 몇 개일까요?

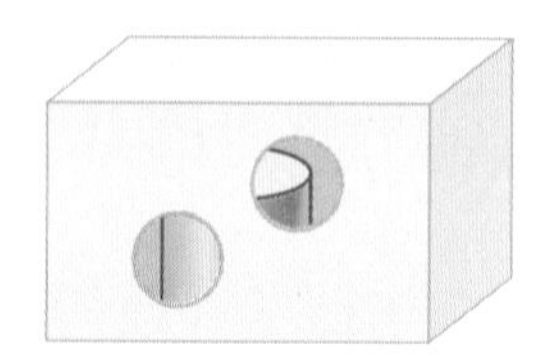

(　　　　　　　　)

4-2 왼쪽 상자 안의 모양과 같은 모양의 물건끼리 모은 것입니다. 잘못 모은 사람은 누구일까요?

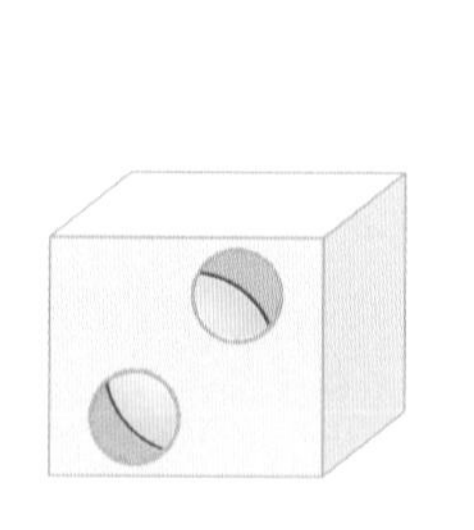

세형

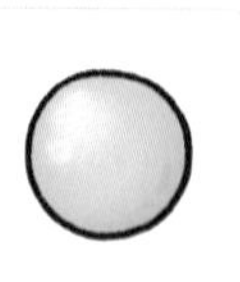

나은

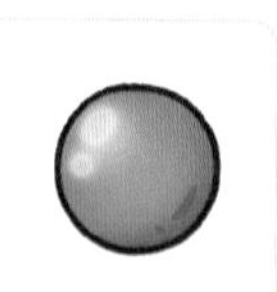

(　　　　　　　　)

★ 여러 가지 모양 만들어 보기

5 다음 모양을 만드는 데 이용한 모양을 모두 찾아 ○표 하세요.

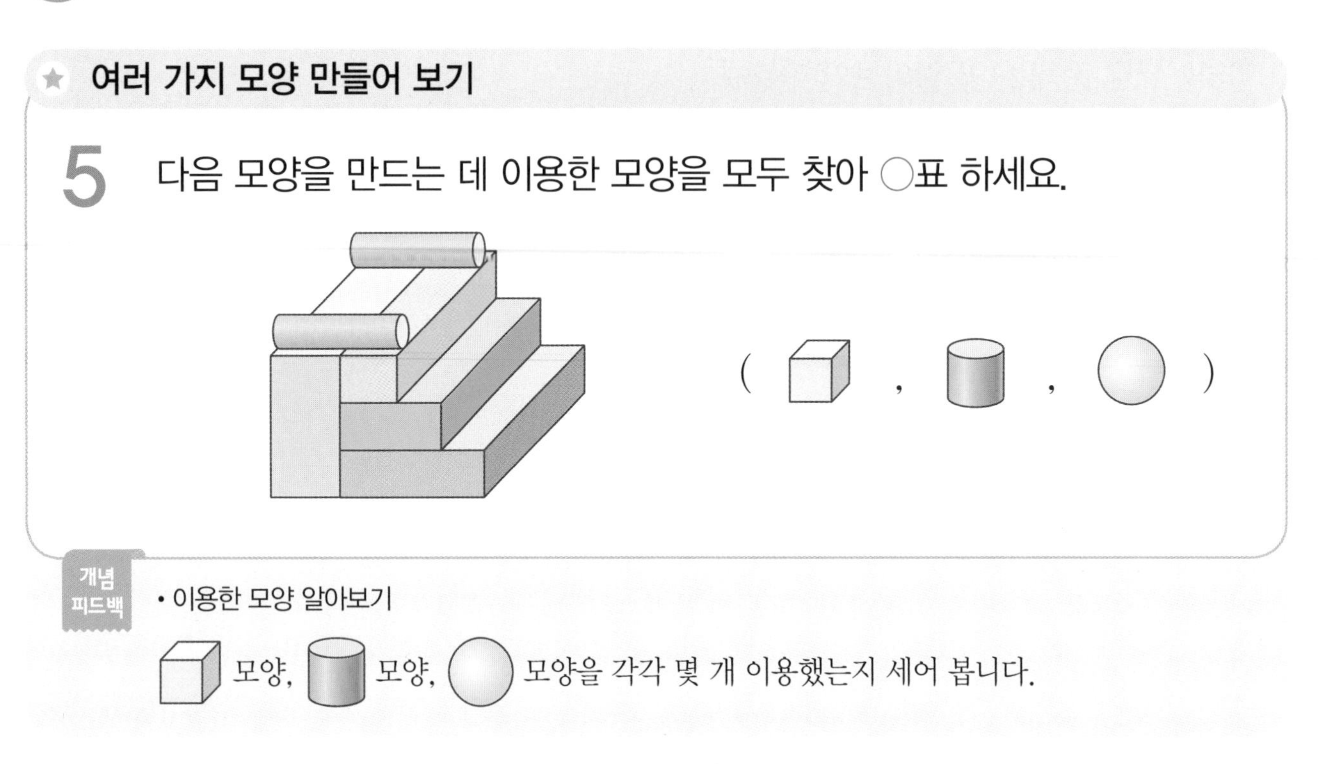

([상자 모양] , [원기둥 모양] , [공 모양])

개념 피드백

• 이용한 모양 알아보기

[상자 모양] 모양, [원기둥 모양] 모양, [공 모양] 모양을 각각 몇 개 이용했는지 세어 봅니다.

5-1 다음 모양을 만드는 데 [상자 모양], [원기둥 모양], [공 모양] 모양을 몇 개 이용했는지 세어 보세요.

[상자 모양] 모양: □개

[원기둥 모양] 모양: □개

[공 모양] 모양: □개

5-2 오른쪽 모양을 만드는 데 가장 많이 이용한 모양에 ○표 하고, 그 모양은 몇 개 이용했는지 세어 보세요.

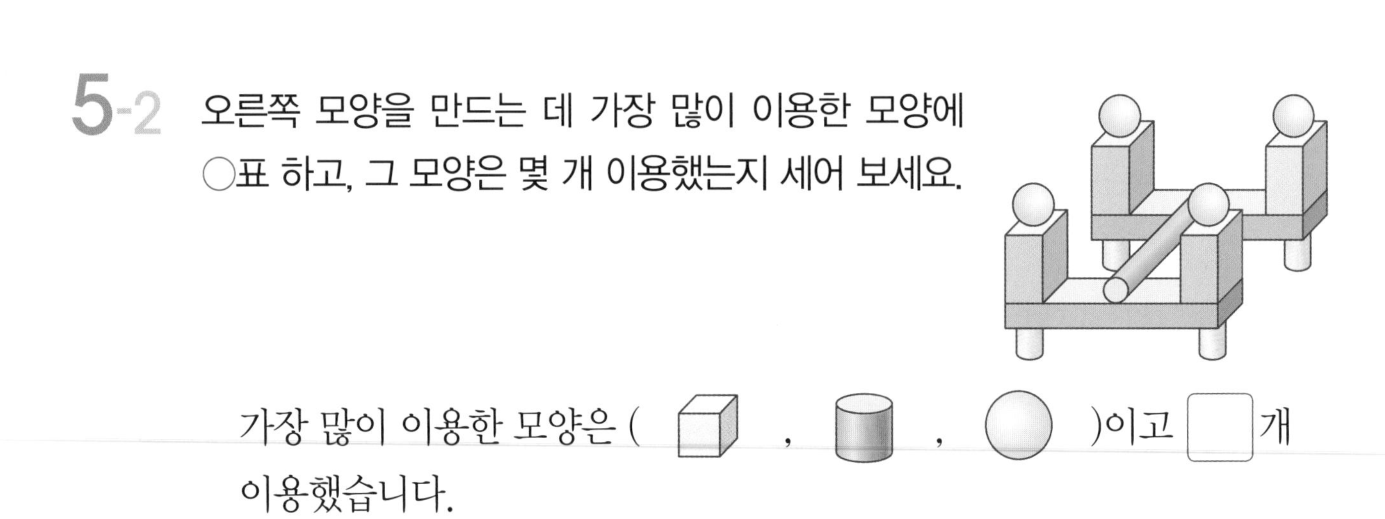

가장 많이 이용한 모양은 ([상자 모양] , [원기둥 모양] , [공 모양])이고 □개 이용했습니다.

정답과 풀이 p.19

★ 처음에 가지고 있던 모양의 수 알아보기

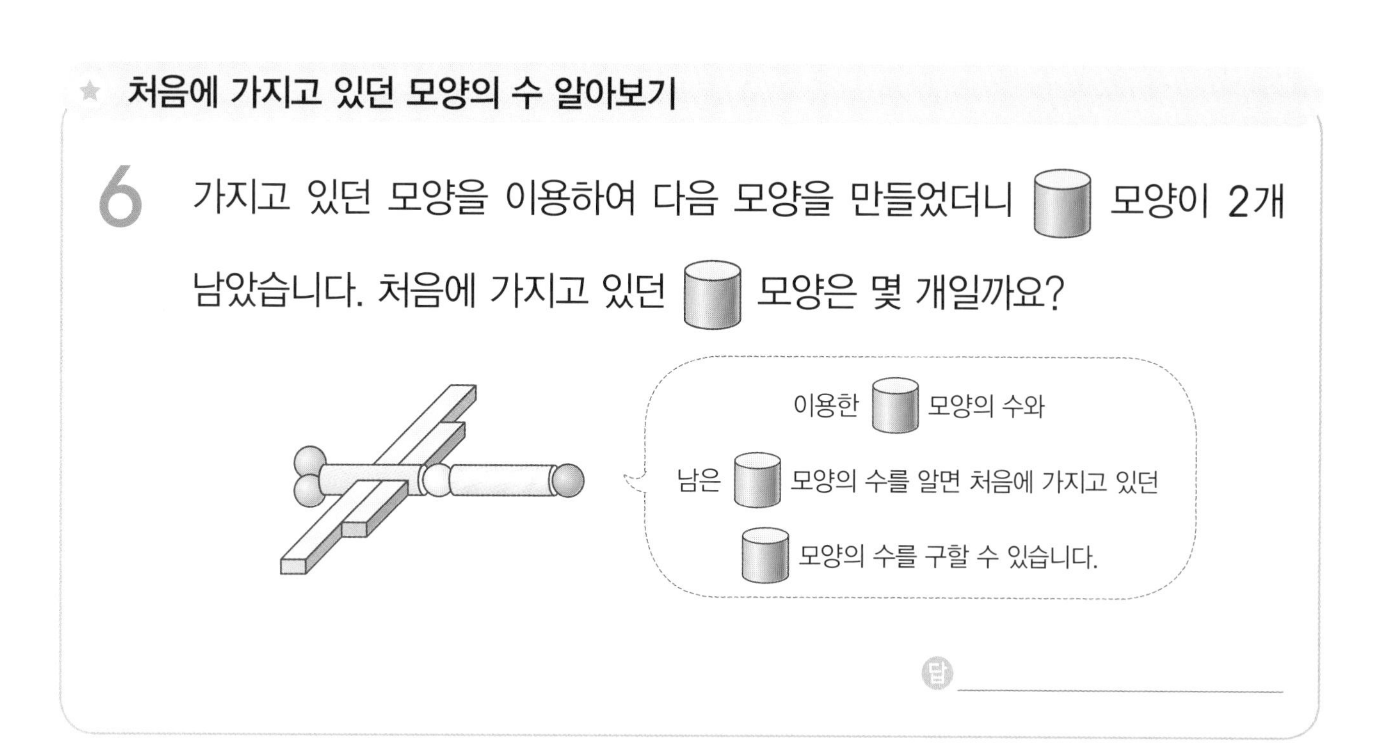

이용한 모양의 수와
남은 모양의 수를 알면 처음에 가지고 있던
모양의 수를 구할 수 있습니다.

6 가지고 있던 모양을 이용하여 다음 모양을 만들었더니 모양이 2개 남았습니다. 처음에 가지고 있던 모양은 몇 개일까요?

답 ______________

6-1 리원이가 가지고 있던 모양을 모두 이용하여 오른쪽 모양을 만들었습니다. 처음에 가지고 있던 모양은 몇 개일까요?

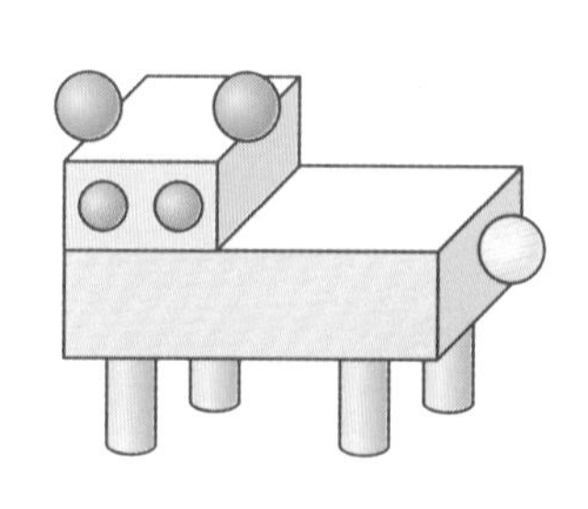

(   )

6-2 준영이가 가지고 있던 모양을 이용하여 오른쪽 모양을 만들었더니 모양이 1개 남았습니다. 준영이가 처음에 가지고 있던 모양은 몇 개일까요?

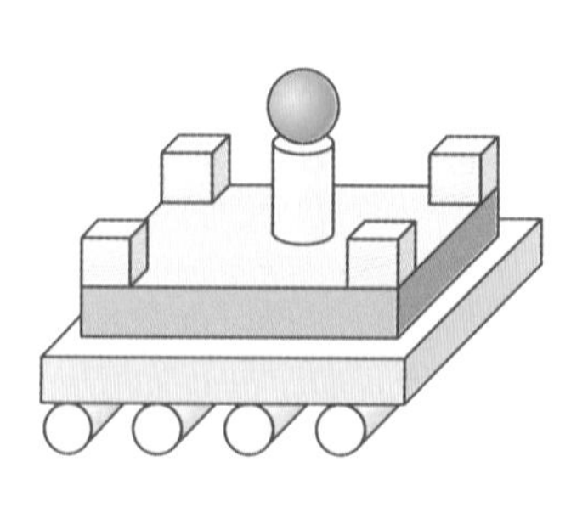

(   )

2 단원 교과서

교과서 서술형 연습

1 오른쪽 모양을 만드는 데 왼쪽과 같은 모양을 몇 개 이용했는지 세어 보세요.

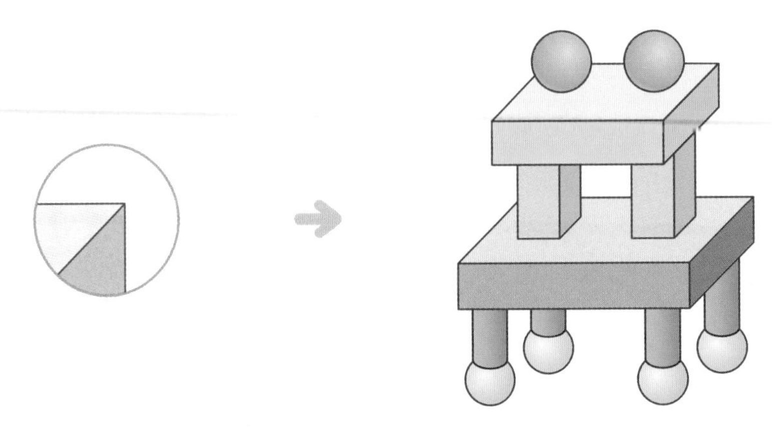

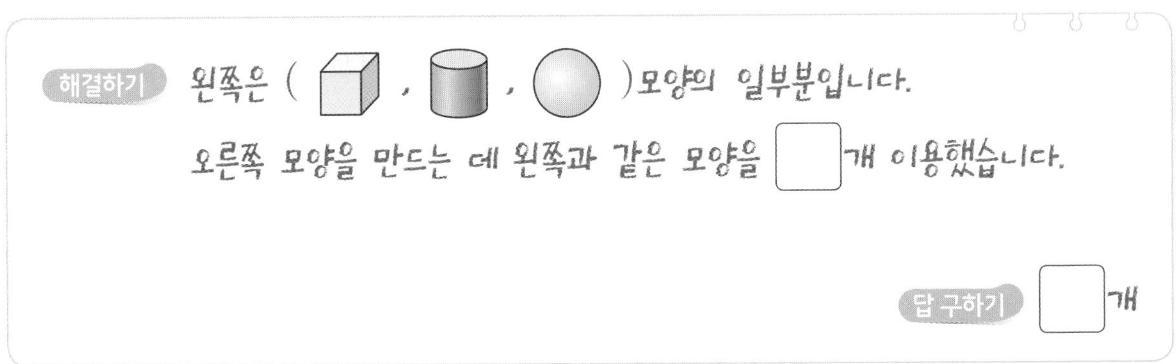

해결하기
왼쪽은 (, ,)모양의 일부분입니다.
오른쪽 모양을 만드는 데 왼쪽과 같은 모양을 개 이용했습니다.
답 구하기
개

서술형 실전

2 오른쪽 모양을 만드는 데 왼쪽과 같은 모양을 몇 개 이용했는지 세어 보세요.

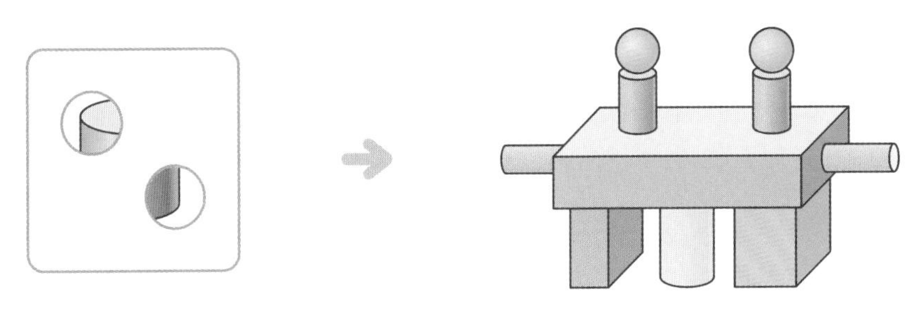

해결하기

답 구하기

3 은지와 세형이가 만든 모양입니다. 은지는 세형이보다 ⚪ 모양을 몇 개 더 많이 이용했는지 구해 보세요.

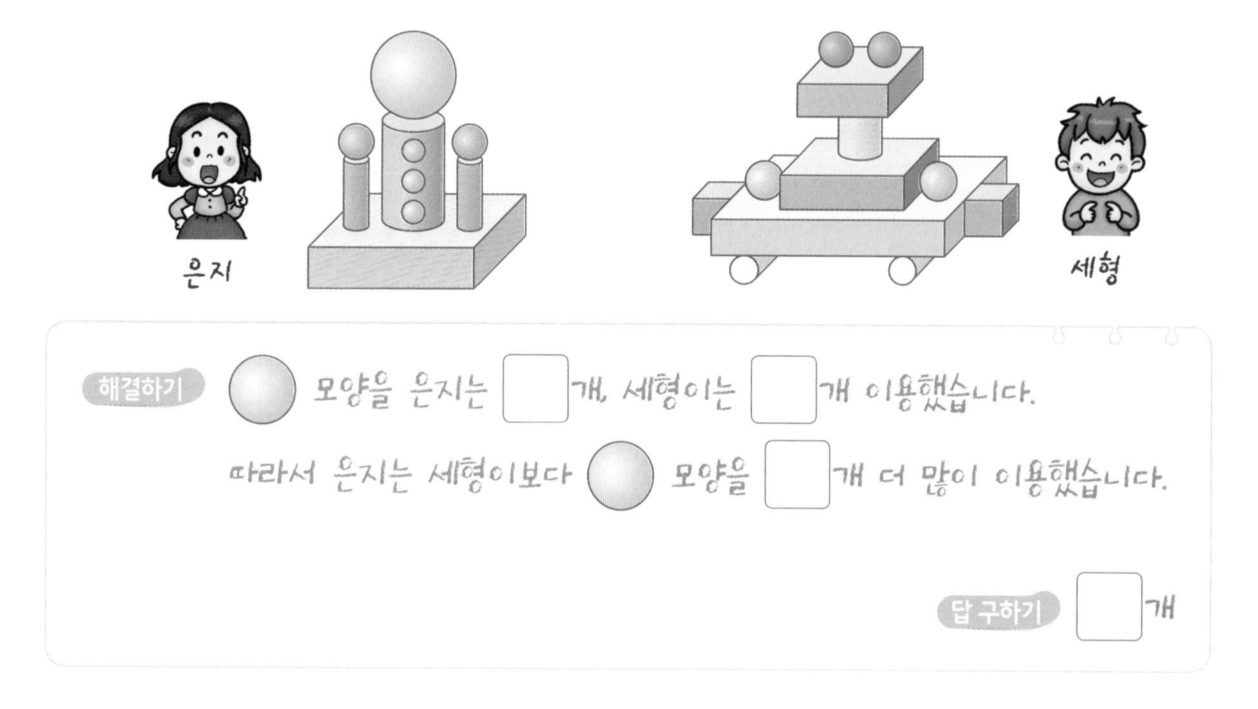

은지
세형
해결하기 ⚪ 모양을 은지는 □개, 세형이는 □개 이용했습니다.
따라서 은지는 세형이보다 ⚪ 모양을 □개 더 많이 이용했습니다.
답 구하기 □개

서술형 실전

4 영진이와 다영이가 만든 모양입니다. 영진이는 다영이보다 ▯ 모양을 몇 개 더 많이 이용했는지 구해 보세요.

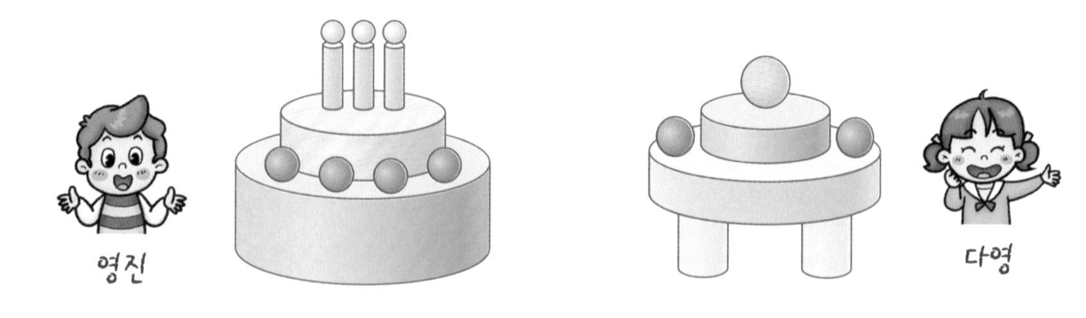

해결하기

답 구하기

PLAY 사고력 개념 스토리

꽃잎 완성하기

준비물 붙임딱지

이곳은 여러 가지 모양의 꽃이 피는 블록 숲입니다.
저런! 세차게 부는 바람 때문에 꽃의 꽃잎이 다 떨어지고 말았네요.
꽃에 알맞은 꽃잎 붙임딱지를 붙여 꽃을 예쁜 모습으로 되돌려 보아요!

가운데 모양을 만드는 데
모양 1개, 모양 4개,
모양 6개를 이용했습니다.
모양 1개

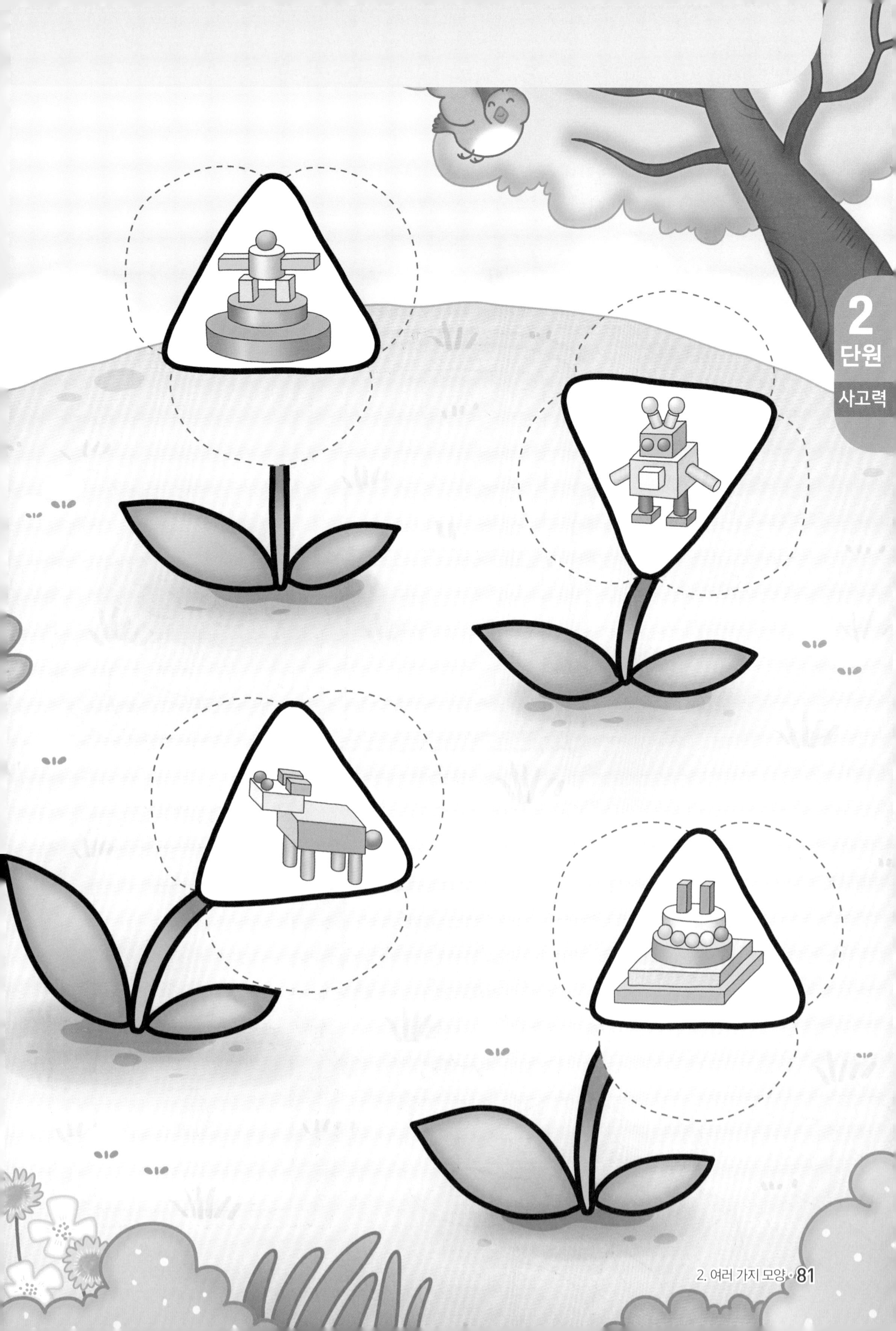
2
단원
사고력

PLAY 사고력 개념 스토리

거인 나라 탈출하기

준비물 붙임딱지

다은이는 꿈에서 거인 나라에 갇힌 빨간 망토 소녀가 되었어요.
빨간 망토 소녀는 잠든 거인을 깨우지 않고 거인 나라를 탈출해야 하죠.
문에 그려진 모양을 앞에서 바라보았을 때의 모양을 바르게 찾는다면 종이 울리지 않아 거인을 깨우지 않고 문을 열 수 있어요. 거인이 깨지 않노록 알맞은 모양의 붙임딱지를 붙여 보아요!

앞
앞에서 본 모양을
찾아 붙이면
종이 울리지 않아요.

Z
Z
앞
앞에서 본 모양을
찾아 붙여 보세요.

탈출

2 단원
사고력

준비물 붙임딱지

1 장식장에 들어 있는 여러 가지 물건들을 평평한 부분의 수에 따라 모으려고 합니다. 알맞은 곳에 붙임딱지를 붙여 보세요.

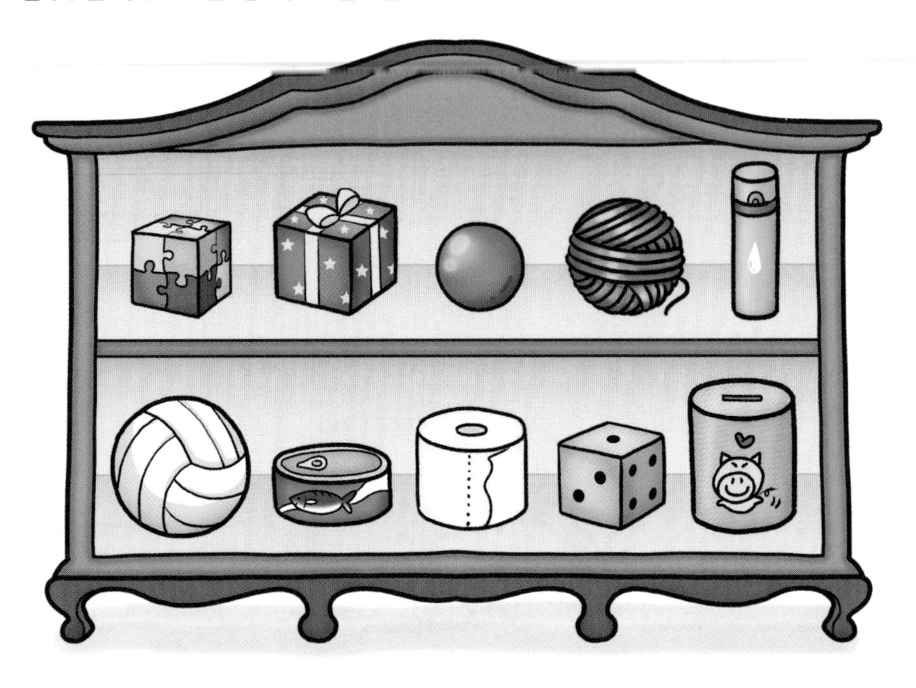

평평한 부분이 0개	평평한 부분이 2개	평평한 부분이 6개

정답과 풀이 p.21

준비물 붙임딱지

2 탁자 위에 있는 물건을 쌓을 수 있는 물건끼리, 쌓을 수 없는 물건끼리 모으려고 합니다. 물건의 모양을 생각하여 붙임딱지를 붙여 보세요.

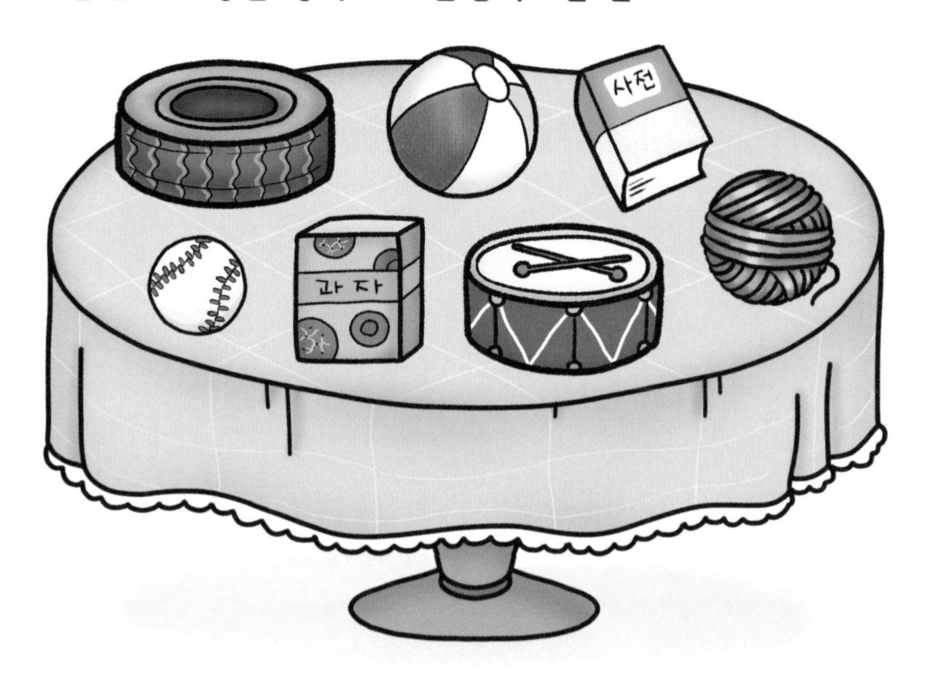

쌓을 수 있는 물건	쌓을 수 없는 물건

3 상자 안에 있는 모양을 보고 주변에 있는 비슷한 모양의 건물을 찾아보았습니다. 관계있는 것끼리 이어 보세요.

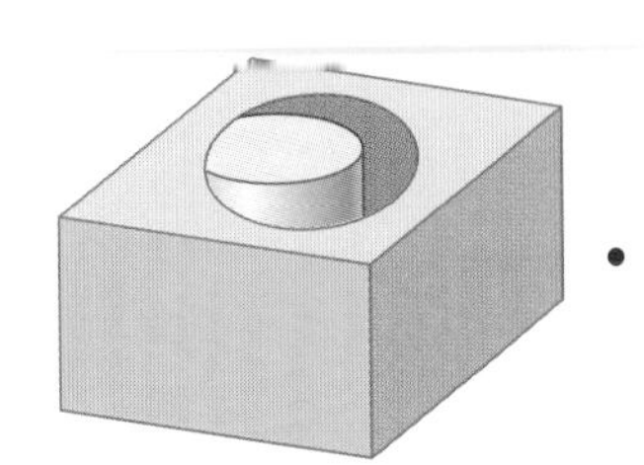 • • 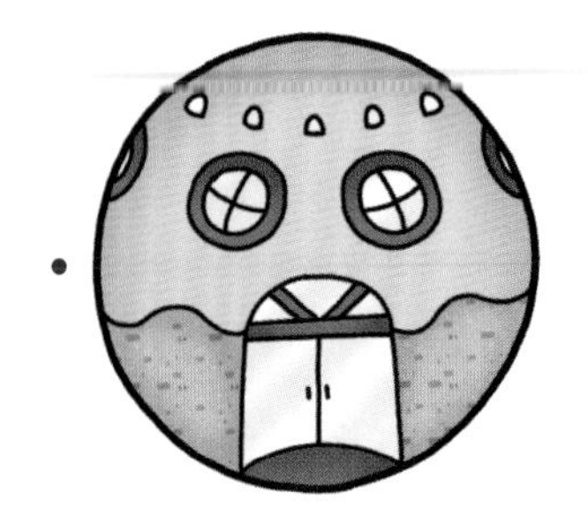

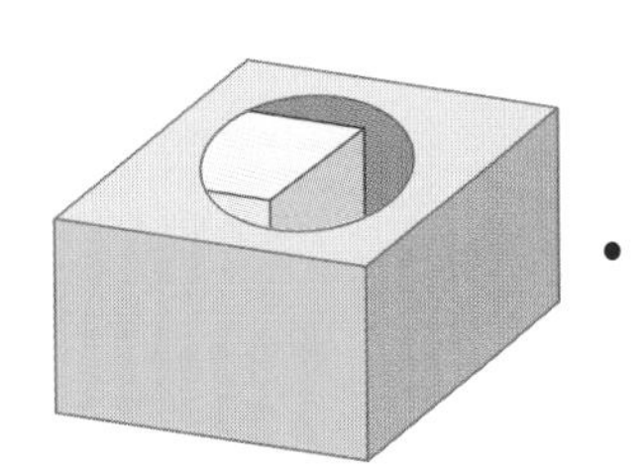 • • 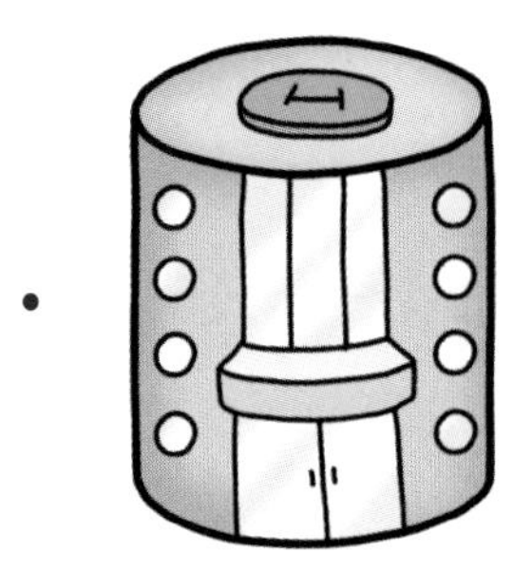

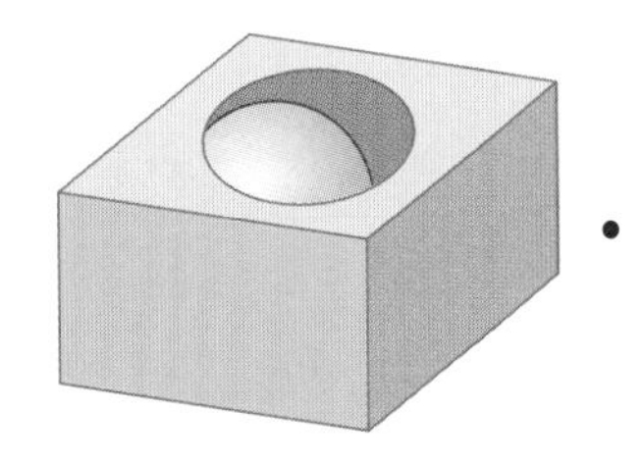 • • 

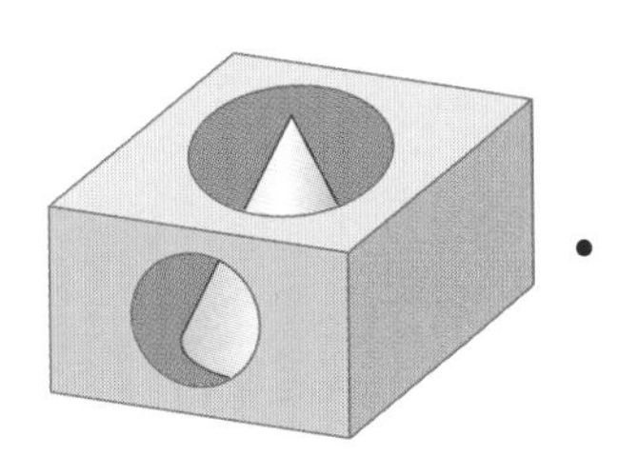 • • 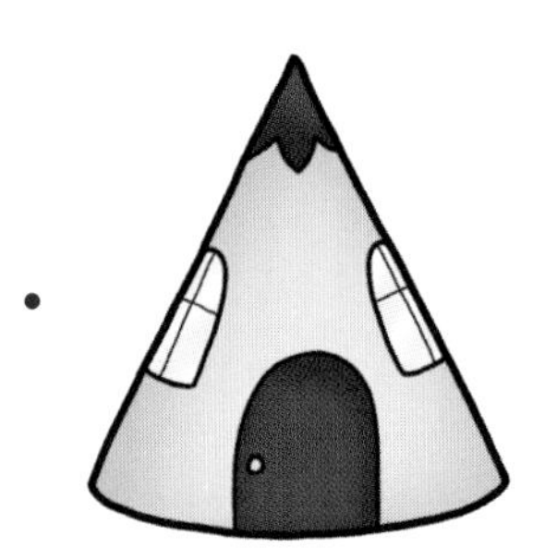

4

은서는 어머니께서 주신 모양의 순서에 따라 심부름을 가려고 합니다. 은서가 가려고 하는 곳은 어디일까요?

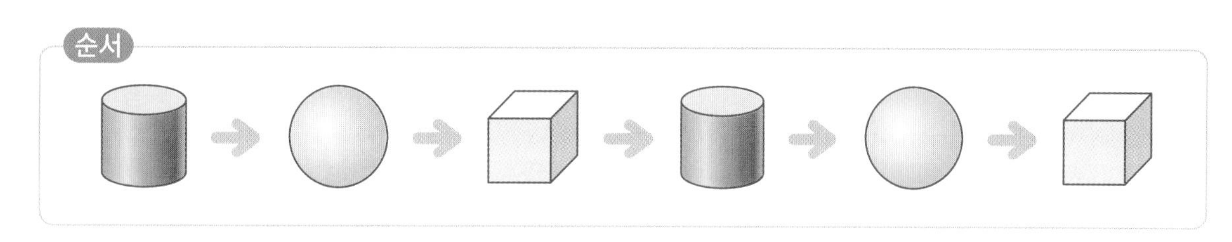

( )

2 단계 교과 사고력 확장

1 **지훈이는 바닷가 모래 위에 다음과 같은 모양의 자국을 남기려고 합니다. 어떤 모양의 물건을 가지고 가야 하는지 골라 보세요.**

① 위 그림과 같은 자국이 나올 수 있는 모양에 ○표 하세요.

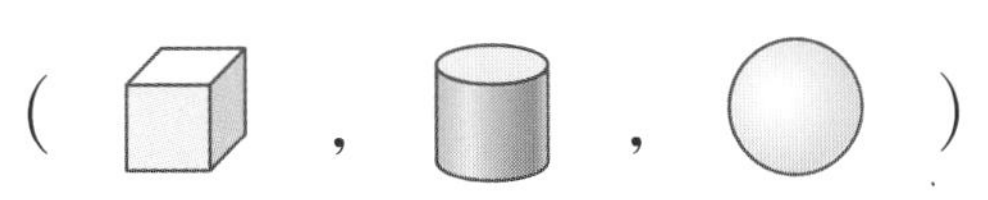

② 지훈이가 가지고 가야 하는 물건을 찾아 기호를 써 보세요.

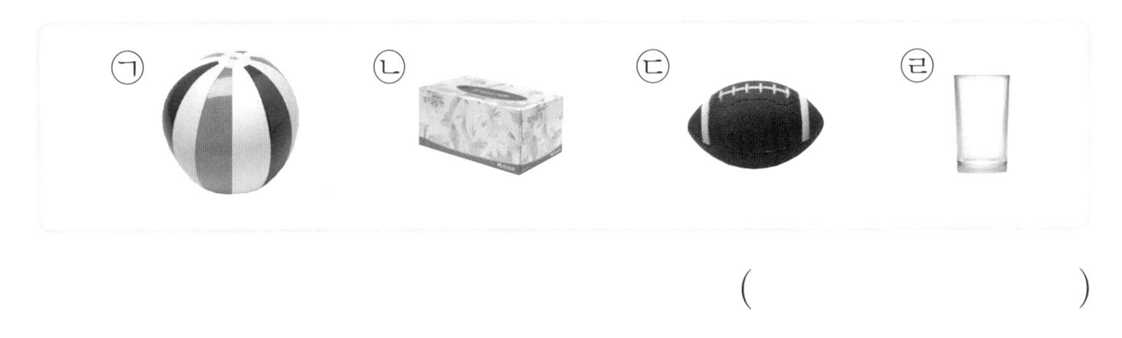

(　　　　　　　　)

정답과 풀이 p.22

2 다음은 현주와 보경이가 ▢, ▢, ◯ 모양을 이용하여 만든 모양입니다. ▢ 모양을 더 많이 이용한 친구는 누구인지 알아보세요.

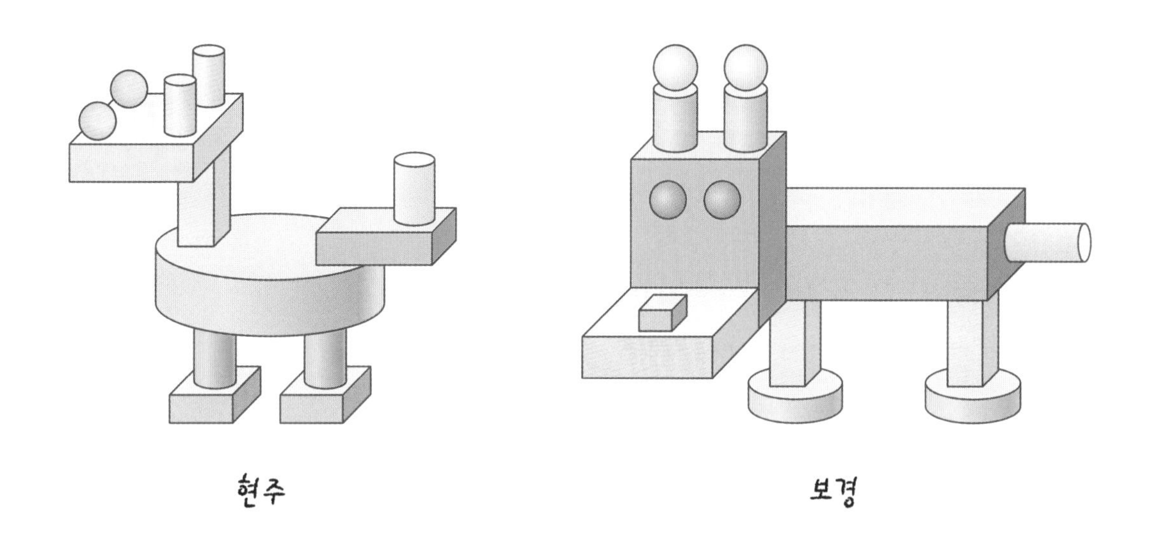

2단원 사고력

① 현주는 ▢ 모양을 몇 개 이용했을까요?

( )

② 보경이는 ▢ 모양을 몇 개 이용했을까요?

( )

③ ▢ 모양을 더 많이 이용한 친구는 누구일까요?

( )

준비물 붙임딱지

3

오른쪽 그림과 같은 모양을 2개 만들려고 합니다. 만드는 데 필요한 ◻, ◻, ◯ 모양은 몇 개인지 붙임딱지를 붙여 알아보세요.

❶ 위의 모양 한 개를 만드는 데 필요한 ◻, ◻, ◯ 모양의 수만큼 붙임딱지를 붙여 보세요.

◻ 모양	◻ 모양	◯ 모양

❷ 위의 모양 2개를 만드는 데 필요한 ◻, ◻, ◯ 모양의 수만큼 붙임딱지를 붙이고 세어 보세요.

◻ 모양	◻ 모양	◯ 모양

◻ 모양: ☐개, ◻ 모양: ☐개, ◯ 모양: ☐개

정답과 풀이 p.22

준비물 붙임딱지

4 영진이는 가지고 있던 모양을 이용하여 오른쪽과 같이 탱크를 만들었습니다. 영진이가 탱크를 만들고 남은 ⬜, ⬜, ⚪ 모양으로 모빌을 완성해 보세요.

모양 5개, 모양 5개,
모양 5개를 가지고 있었어.
영진

❶ 탱크를 만드는 데 ⬜, ⬜, ⚪ 모양을 몇 개 이용했는지 세어 보세요.

⬜ 모양: ☐개, ⬜ 모양: ☐개, ⚪ 모양: ☐개

❷ 탱크를 만들고 남은 ⬜, ⬜, ⚪ 모양은 몇 개인지 구해 보세요.

⬜ 모양: ☐개, ⬜ 모양: ☐개, ⚪ 모양: ☐개

❸ 영진이가 탱크를 만들고 남은 모양을 이용하여 모빌을 만들려고 합니다. 붙임딱지를 붙여 모빌을 완성해 보세요.

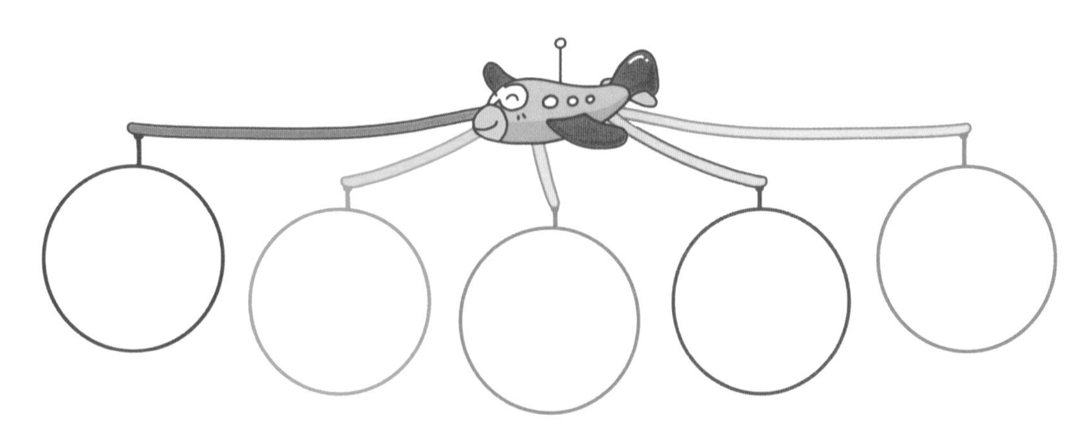

3 단계 교과 사고력 완성

평가 영역 □개념 이해력 □개념 응용력 ☑창의력 □문제 해결력

1 보기 와 같이 왼쪽 모양을 만드는 데 필요한 그림 조각 2개에 ○표 하세요.

보기

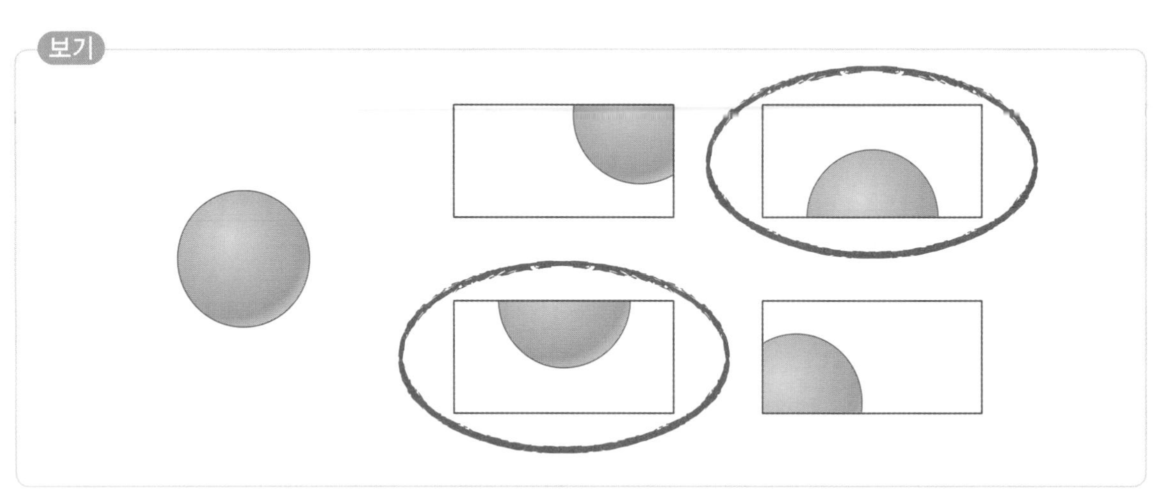

①

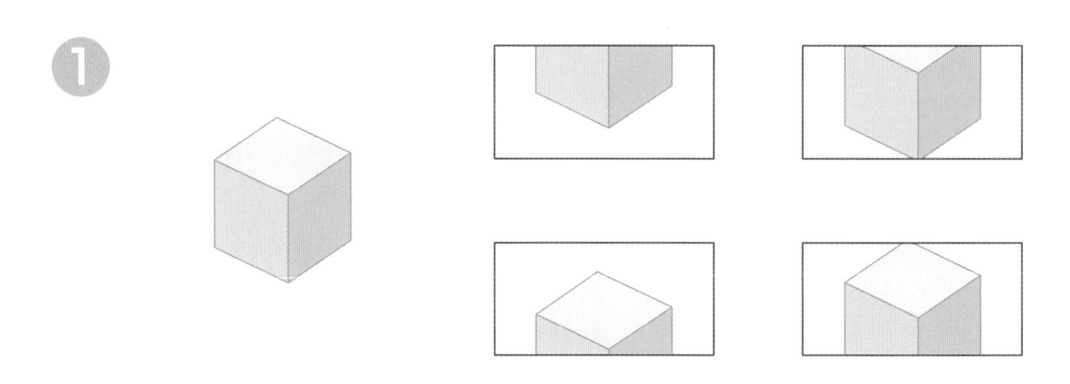

②

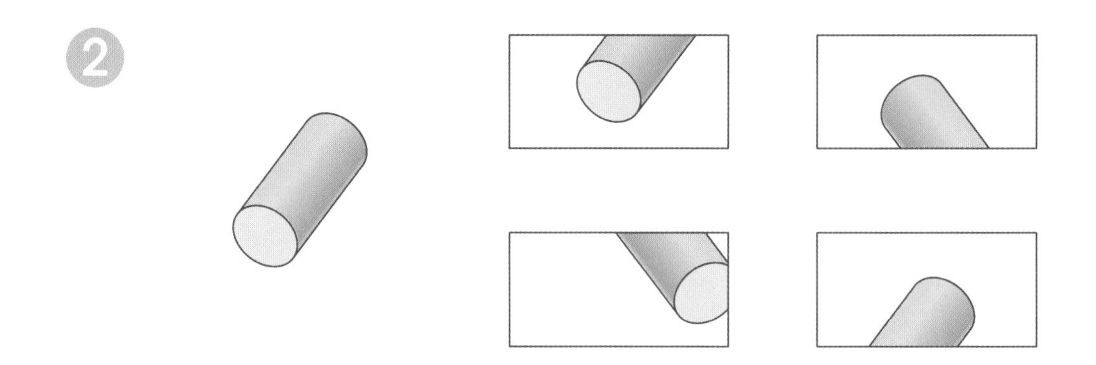

오른쪽 그림 조각이 왼쪽 모양의 어느 부분인지 확인하며 답을 찾아보세요.

평가 영역 □개념 이해력 □개념 응용력 ☑창의력 □문제 해결력

2 왼쪽 그림에서 ■으로 가려진 부분에 알맞은 그림을 찾아 ○표 하세요.

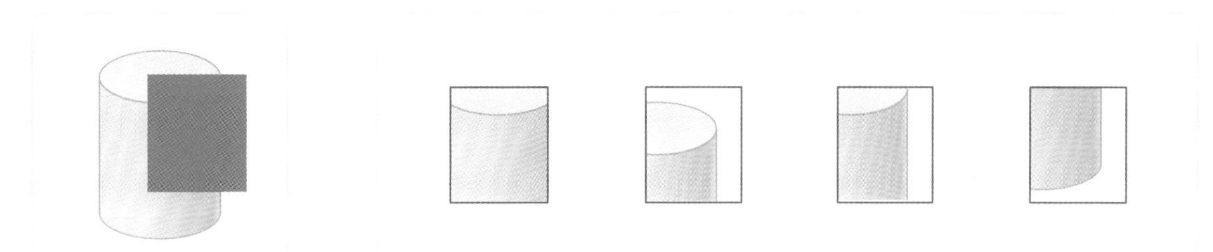

평가 영역 □개념 이해력 □개념 응용력 □창의력 ☑문제 해결력

3 통나무를 잘라서 □ 모양으로 만들려고 합니다. 통나무를 적어도 몇 번 잘라야 하는지 구해 보세요.

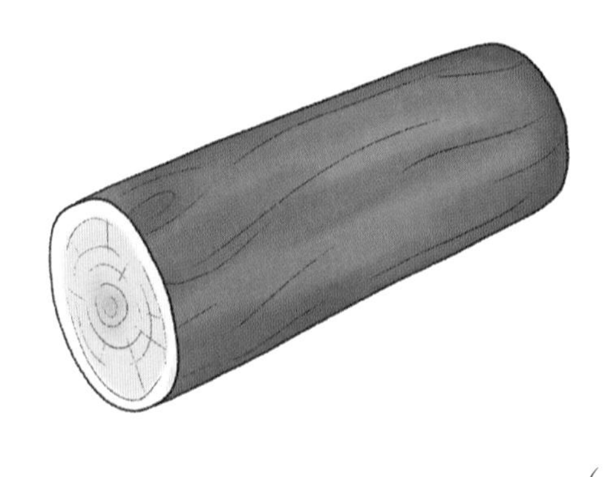

( )

먼저 통나무에 평평한 부분이 몇 개 있는지 알아보세요.

1 모양이 같은 물건끼리 이어 보세요.

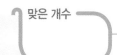

2 나머지와 모양이 다른 것을 찾아 기호를 써 보세요.

㉠ 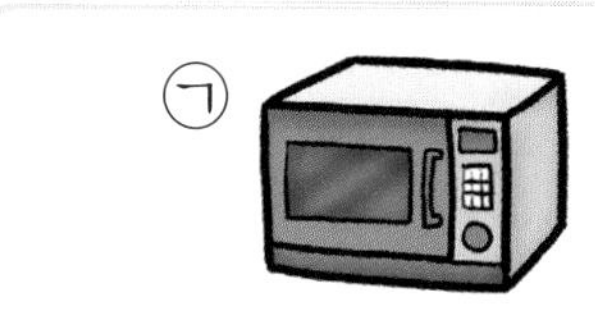
㉡ 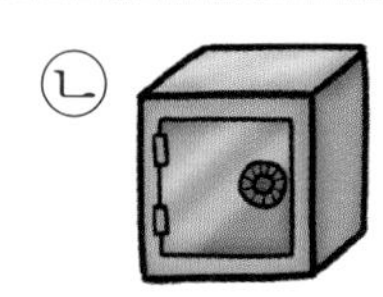
㉢ 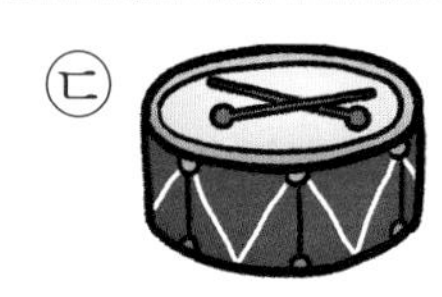
㉣ 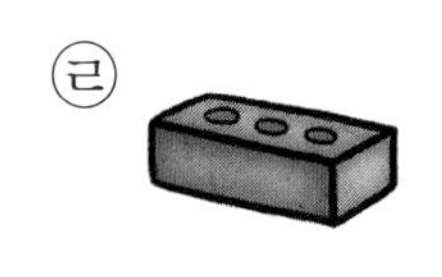

(　　　　　　　)

3 한 가지 모양으로 만든 것입니다. 이용한 모양에 ○표 하세요.

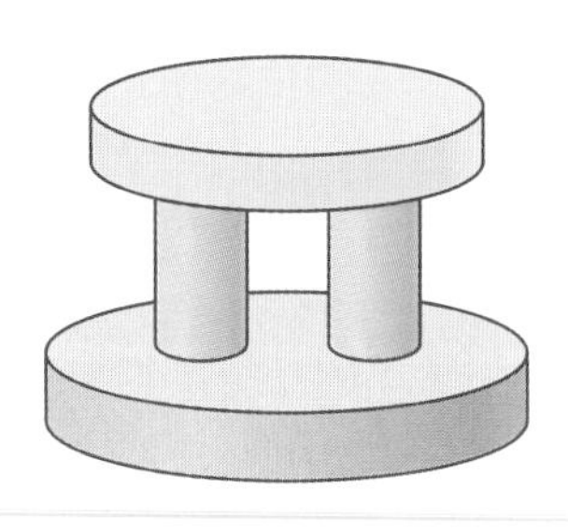

(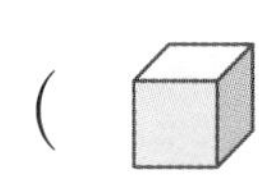 , 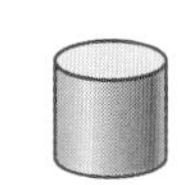 , 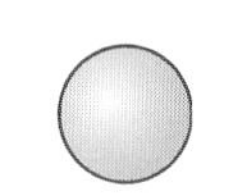)

4 정아는 정리함에 쌓을 수 있는 물건만 넣으려고 합니다. 정리함에 넣을 수 없는 물건은 모두 몇 개일까요?

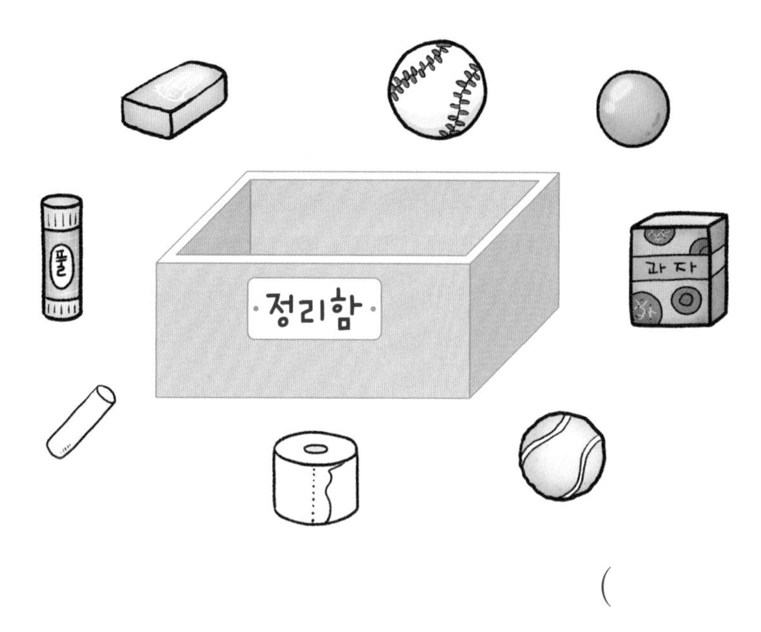

( )

5 평평한 부분이 있지만 잘 굴러가는 모양을 찾아 ○표 하세요.

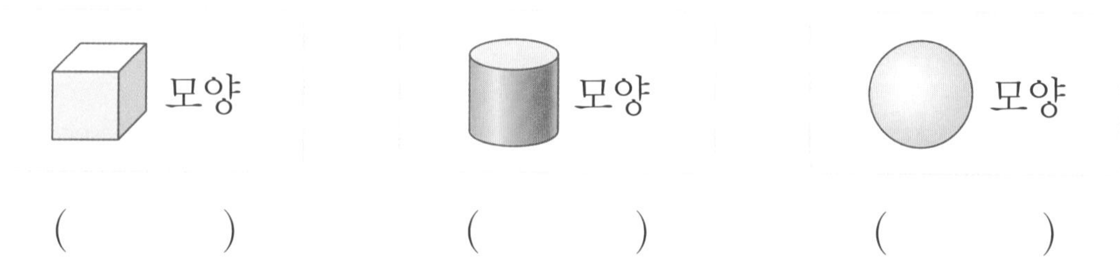

( ) ( ) ( )

6 ▢ 모양과 ▢ 모양을 이용하여 만든 것을 찾아 기호를 써 보세요.

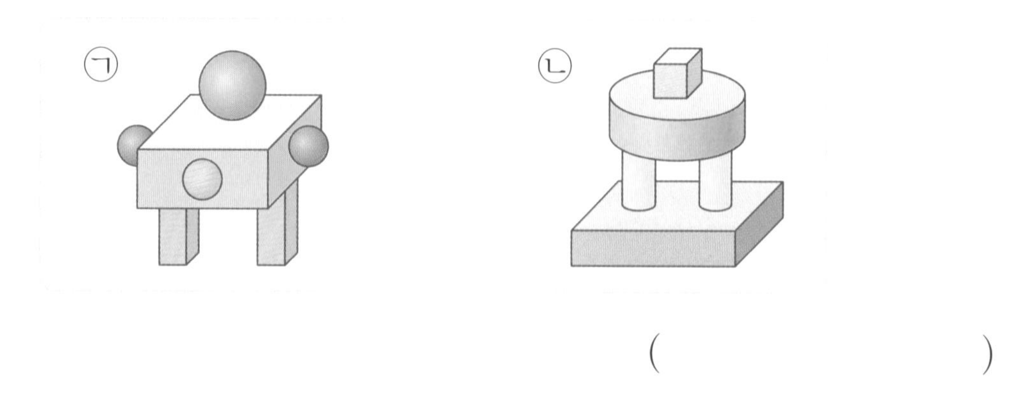

( )

7 [cylinder] 모양 4개를 이용하여 만든 모양을 찾아 ○표 하세요.

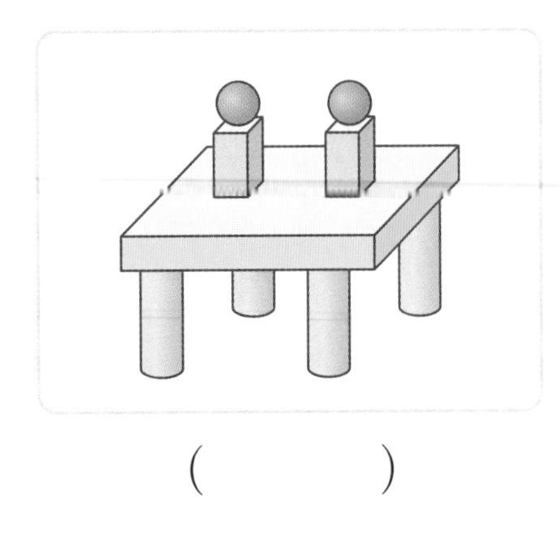

(　　　)

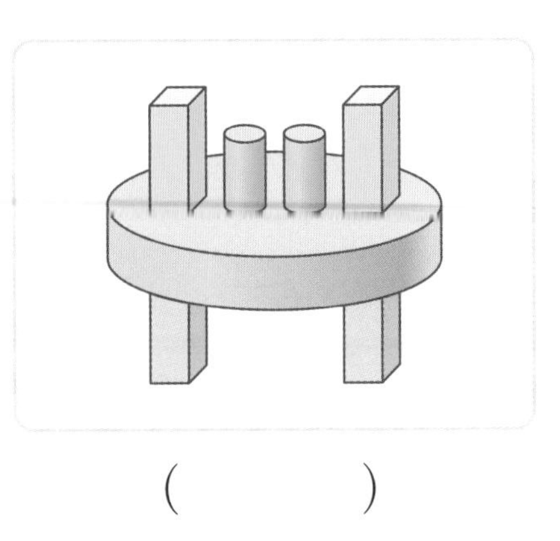

(　　　)

8 관계있는 것끼리 선으로 이어 보세요.

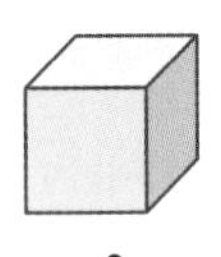
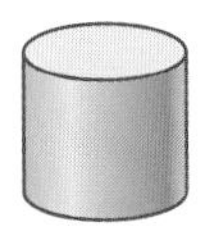
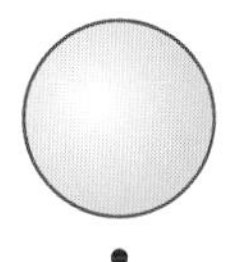

둥근 부분과 평평한 부분이 있습니다.	잘 쌓을 수 없습니다.	뾰족한 부분이 있습니다.

9 주어진 모양을 만드는 데 가장 적게 이용한 모양에 ○표 하세요.

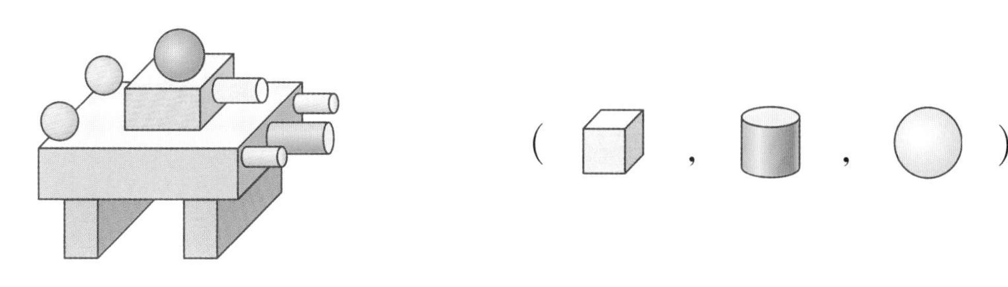

10 주어진 모양을 모두 이용하여 만든 것을 찾아 이어 보세요.

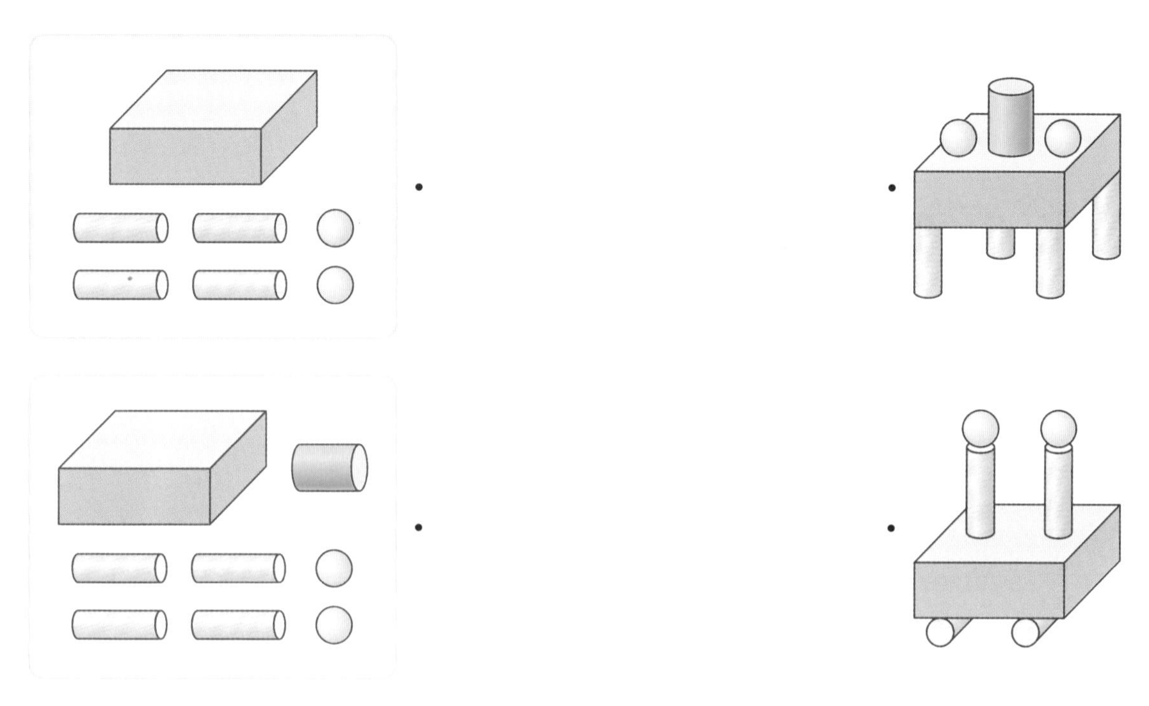

11 규칙에 따라 물건을 놓았습니다. 빈 곳에 들어갈 물건의 모양으로 알맞은 것에 ○표 하세요.

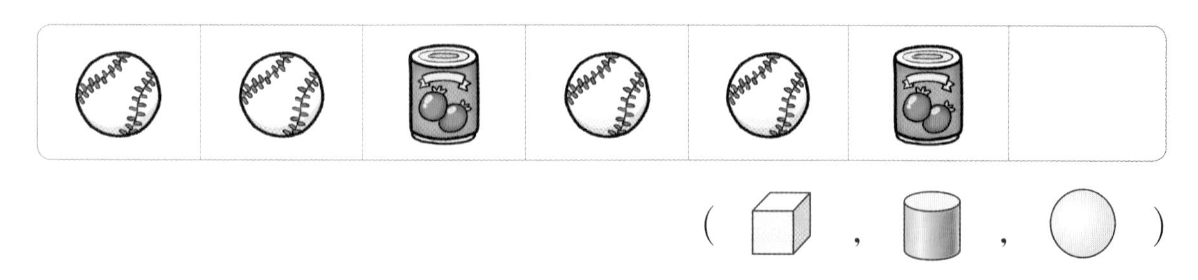

12 자전거 바퀴가 모양이라면 어떤 일이 생길지 써 보세요.

13 지우와 승기 중에서 모양 2개, 모양 3개, 모양 4개를 이용하여 모양을 만든 사람은 누구일까요?

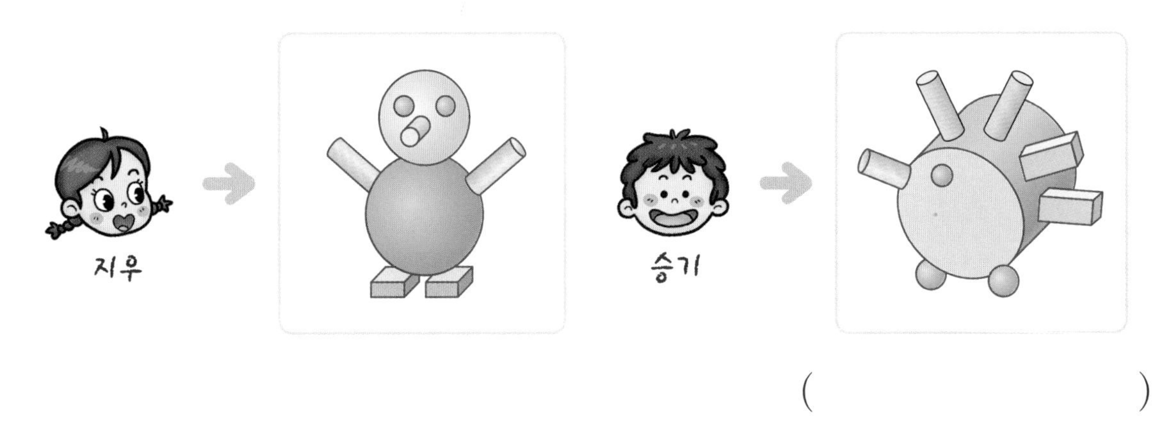

(　　　　　　　　)

14 명철이가 가지고 있던 , , 모양으로 다음 모양을 만들었더니 모양 1개와 모양 1개가 남았습니다. 명철이가 처음에 가지고 있던 , , 모양은 각각 몇 개인지 구해 보세요.

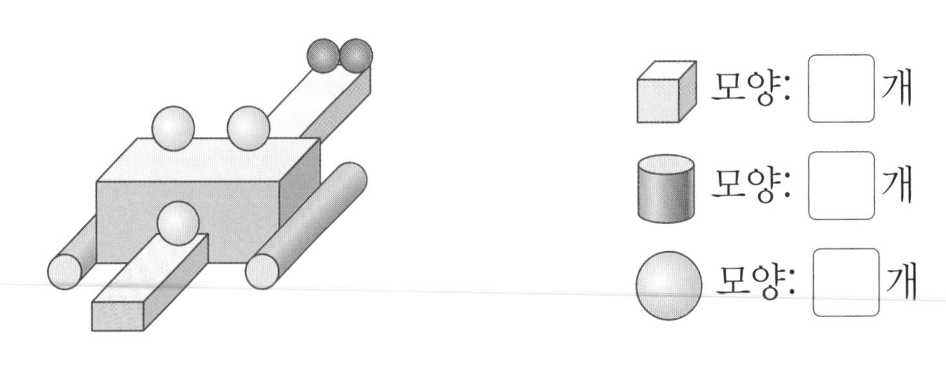

특강 창의·융합 사고력

정답과 풀이 p.24

준비물 색연필

1 캣 타워는 고양이가 놀 수 있도록 탑처럼 높게 만든 것으로 고양이의 건강과 정서적 안정에 도움을 주는 물건입니다. 높은 곳, 숨을 곳을 좋아하는 고양이를 위해 캣 타워를 만들려고 합니다. 다음을 보고 물음에 답하세요.

(1) 왼쪽 설계도를 보고 캣 타워를 만들려고 합니다. 같은 모양에 같은 색을 칠해 캣 타워를 완성해 보세요.

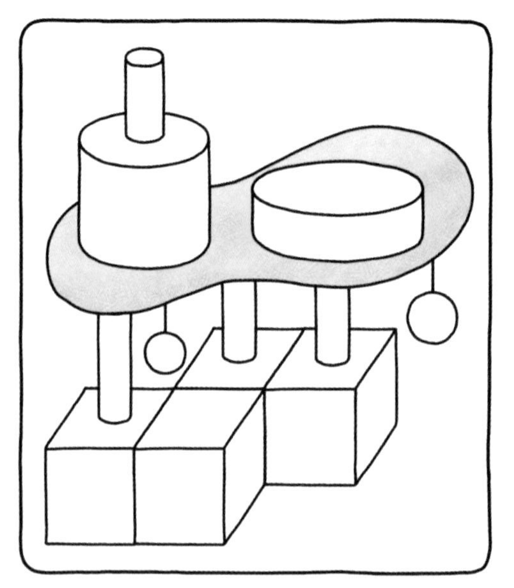

(2) 위의 캣 타워를 만드는 데 ▢, ▢, ◯ 모양을 몇 개 이용했는지 세어 보세요.

▢ 모양: ☐개, ▢ 모양: ☐개, ◯ 모양: ☐개

Memo

1-1 Run - A호 Play 붙임딱지

문제의 알맞은 곳에 붙임딱지를 붙여 보세요.

14~15쪽

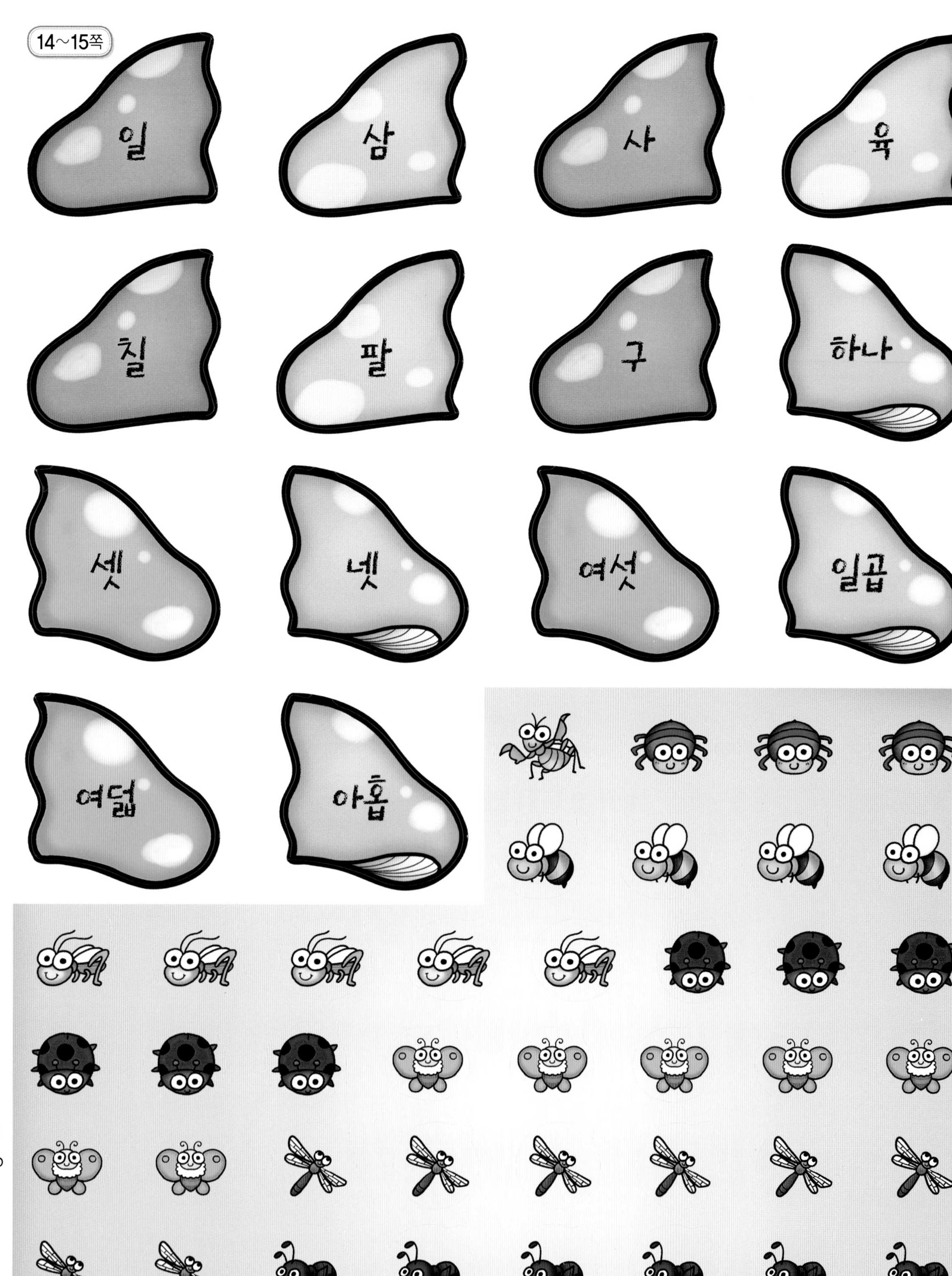

자르는 선

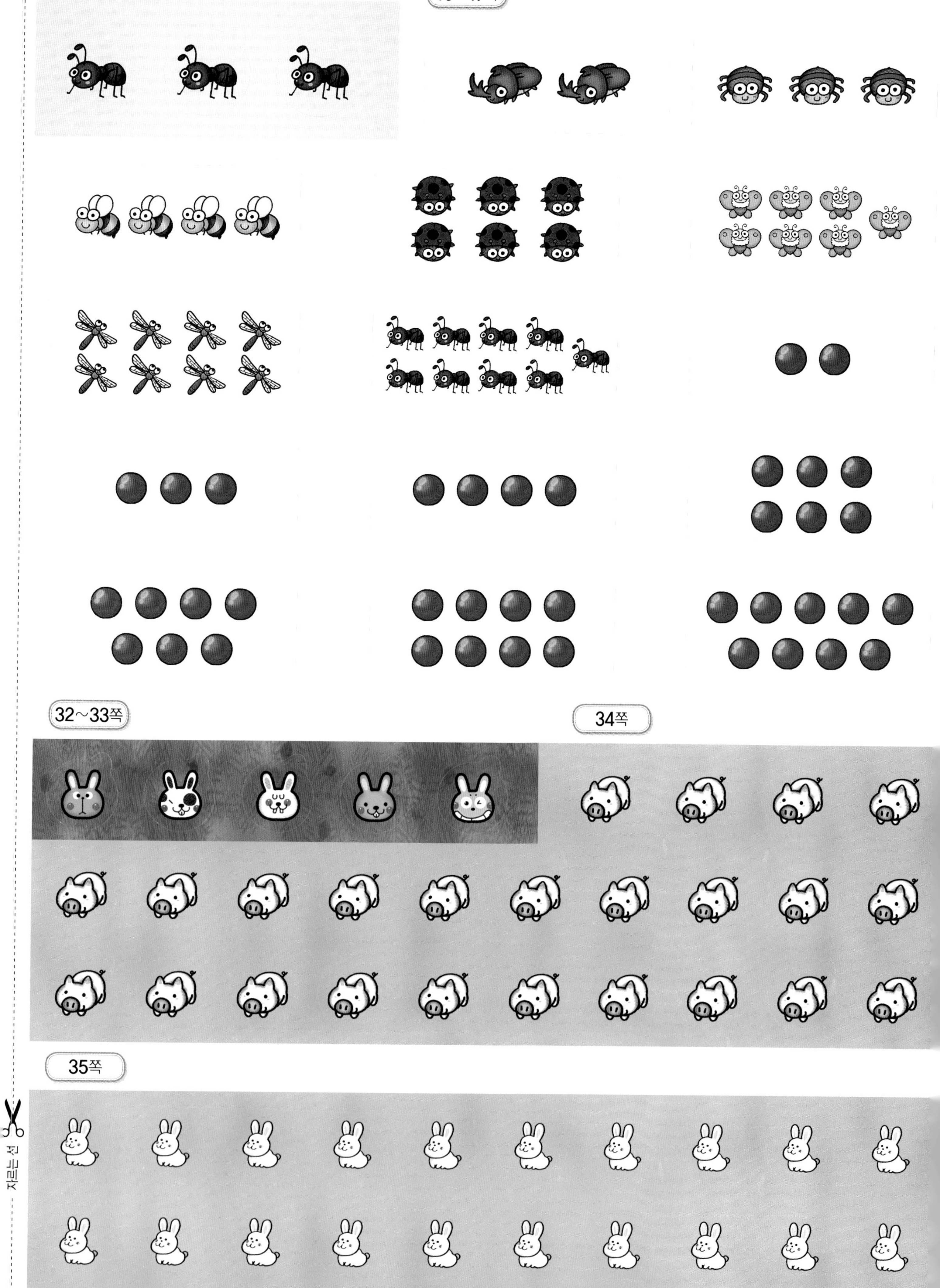
16~17쪽
32~33쪽
34쪽
35쪽
자르는 선

62~63쪽

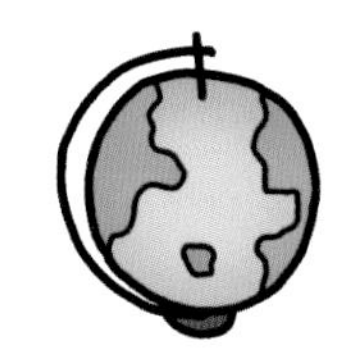

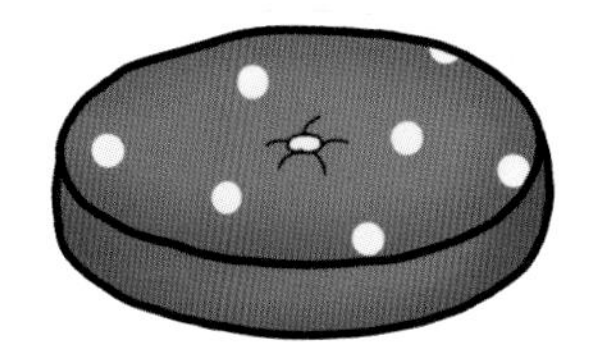
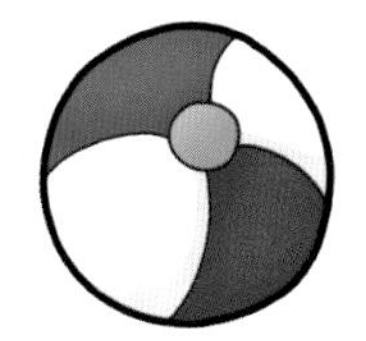

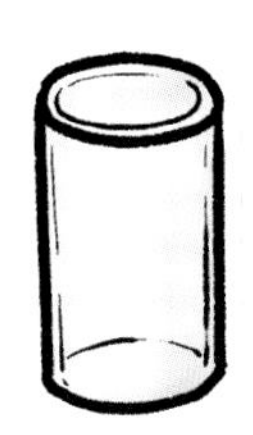

64~65쪽

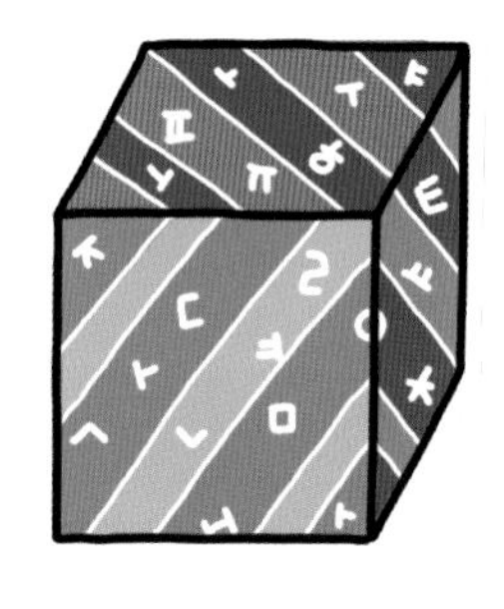

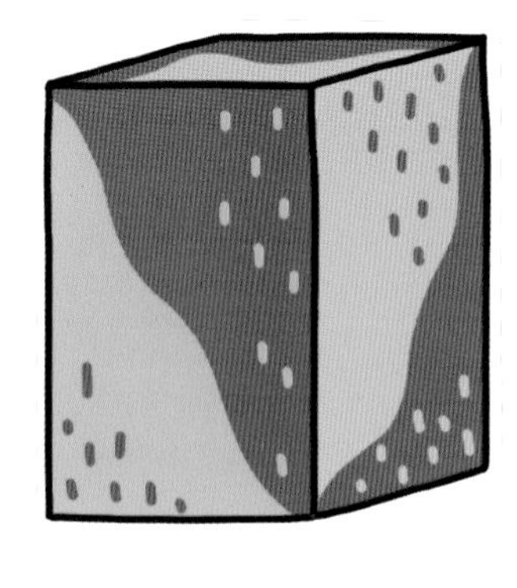

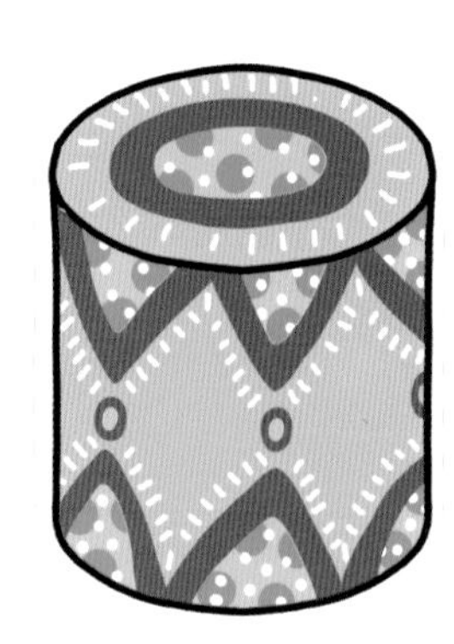
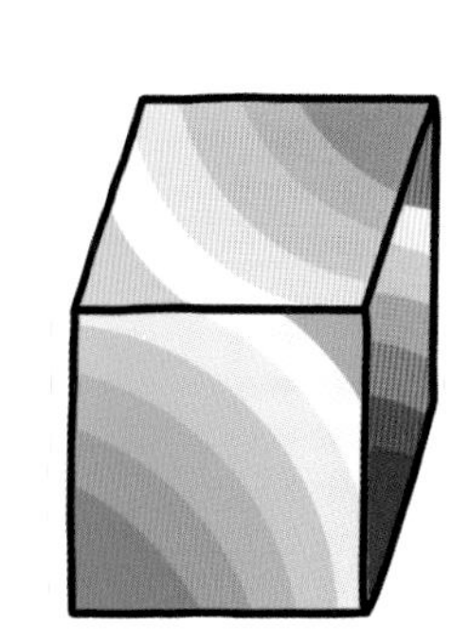

모든 방향으로 잘 굴러갑니다.	평평한 부분과 뾰족한 부분이 있습니다.	눕히면 잘 굴러가고 평평한 부분이 있습니다.

80~81쪽

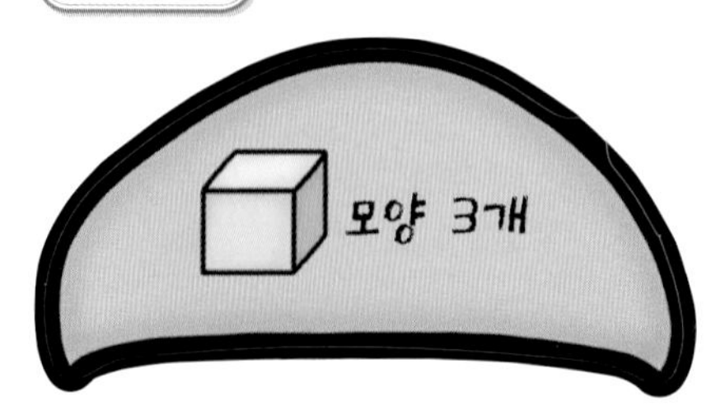

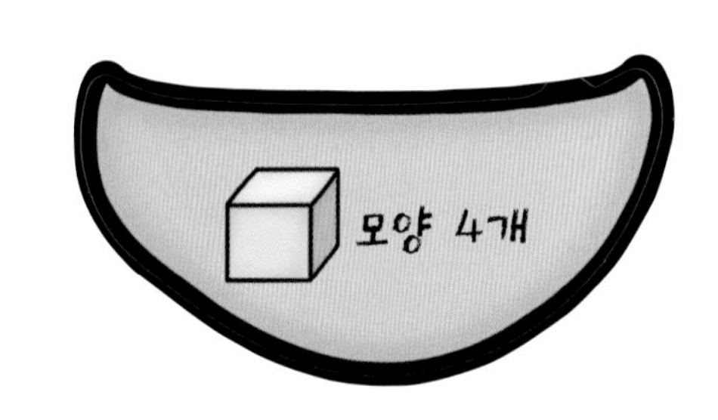

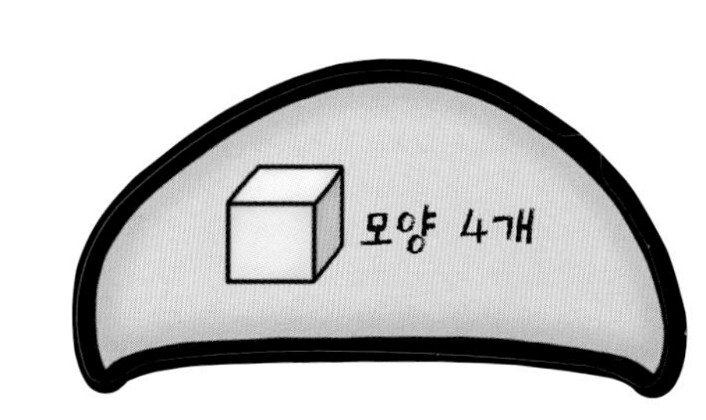

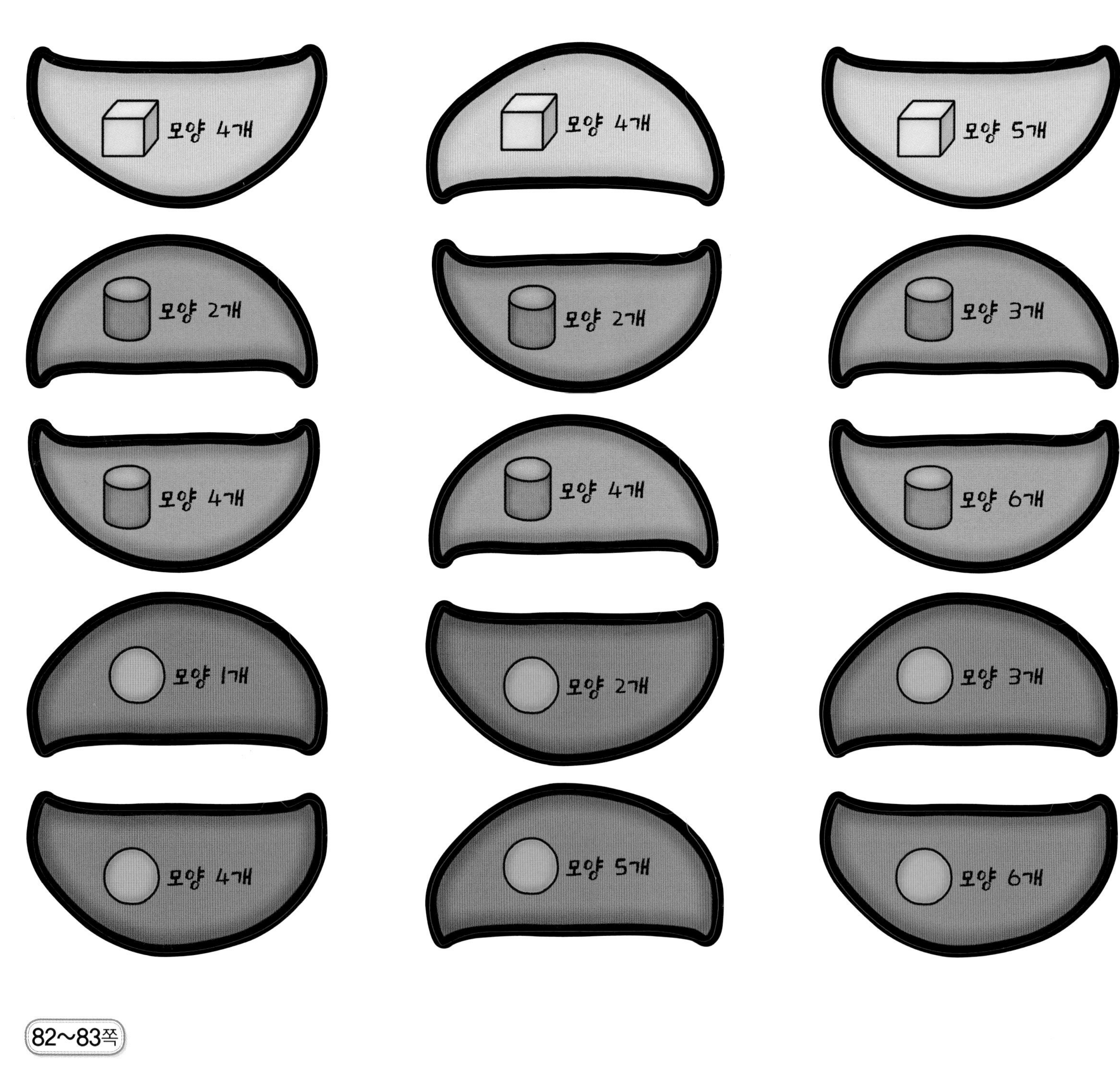
모양 4개
모양 4개
모양 5개
모양 2개
모양 2개
모양 3개
모양 4개
모양 4개
모양 6개
모양 1개
모양 2개
모양 3개
모양 4개
모양 5개
모양 6개

82~83쪽

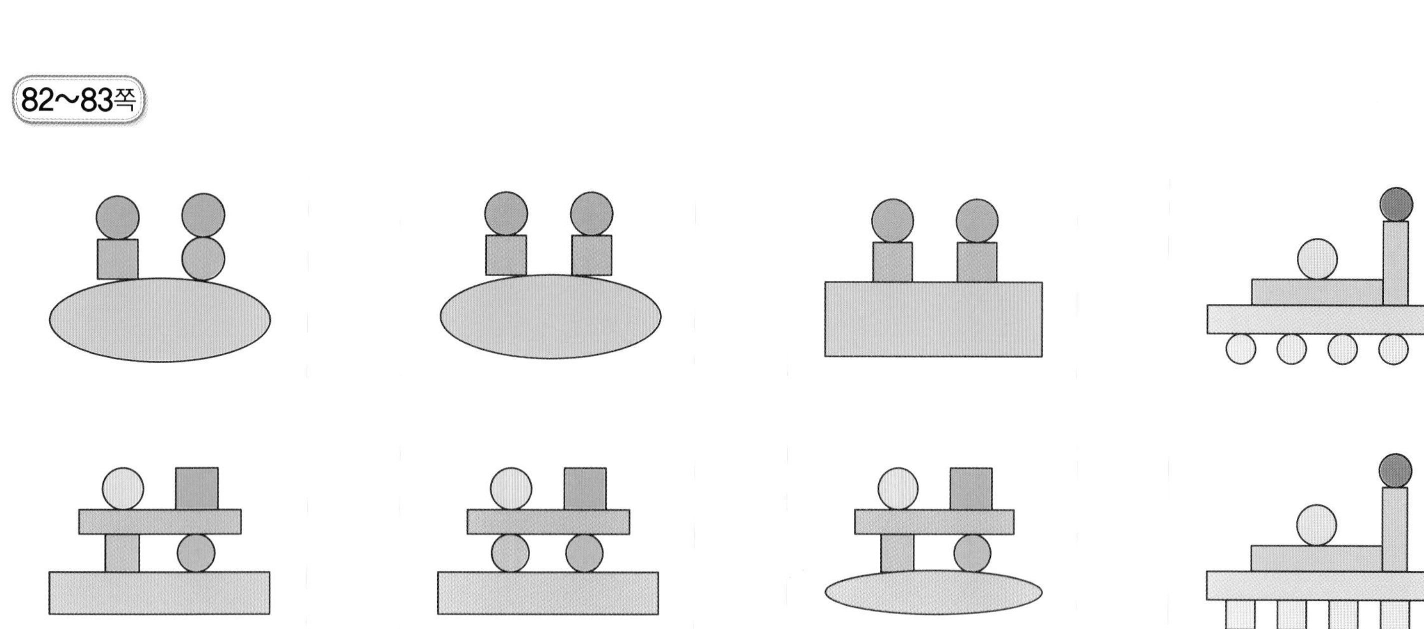

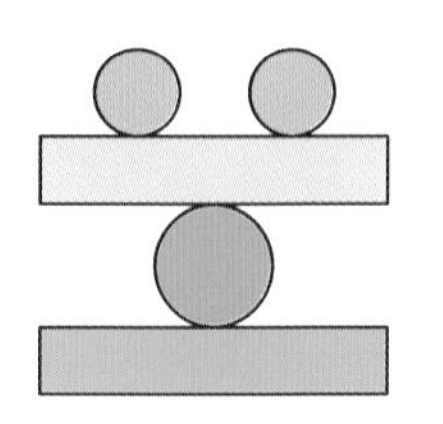

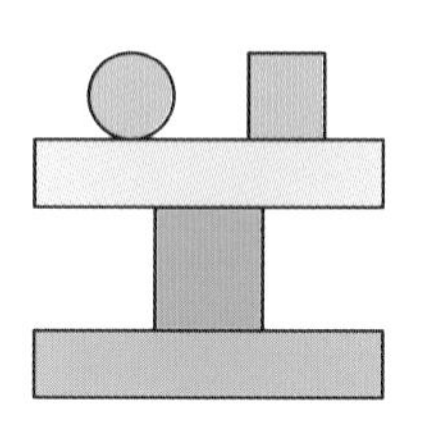

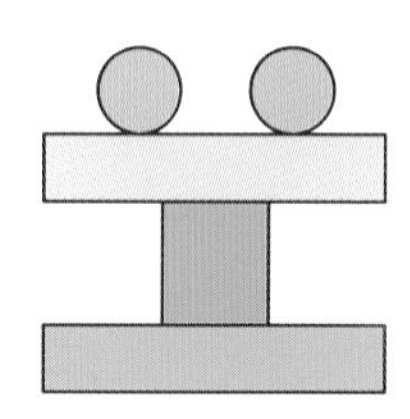

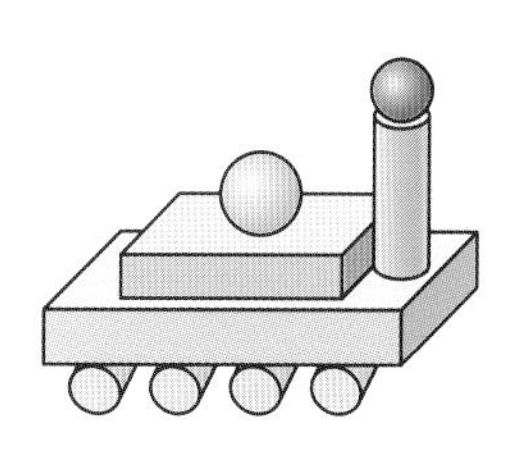

자르는 선

1-1 Run-A호 | 붙임딱지

문제의 알맞은 곳에 붙임딱지를 붙여 보세요.

8쪽

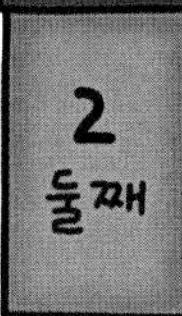

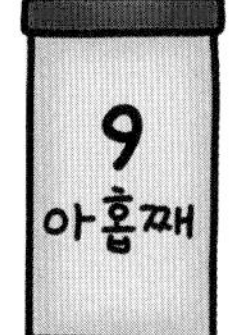

10쪽

12쪽

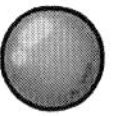

38쪽

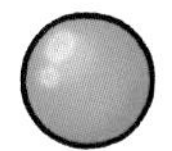
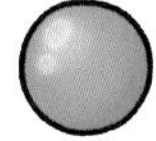
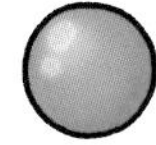

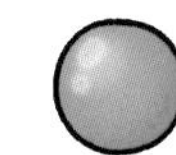
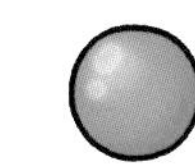
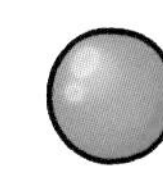
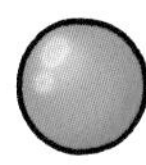
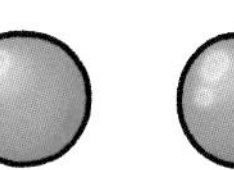
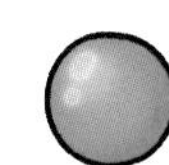

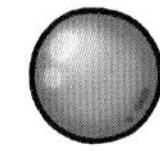
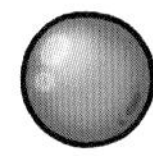
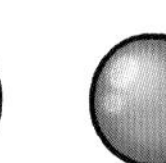
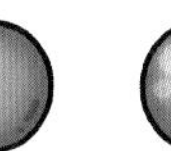

54쪽

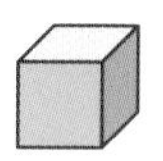
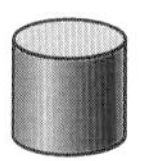
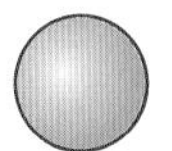

56쪽

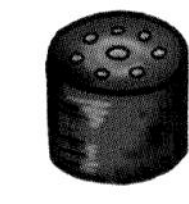

60쪽

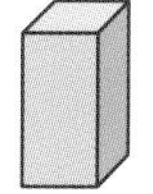
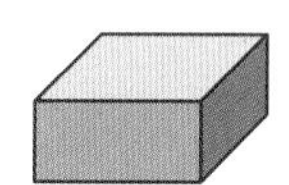
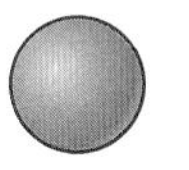

75쪽

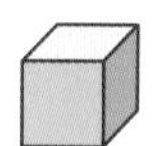
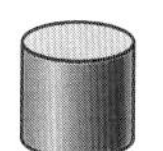
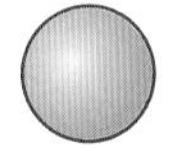

84쪽

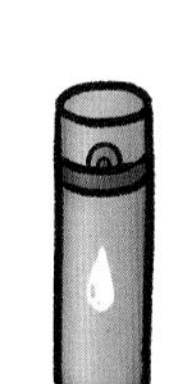

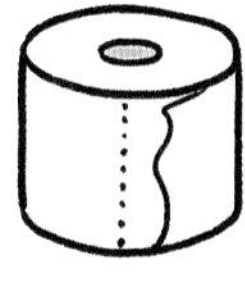

85쪽

90~91쪽

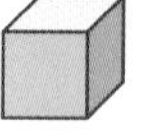

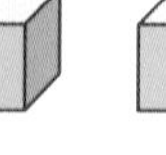
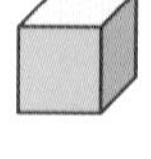
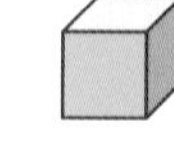
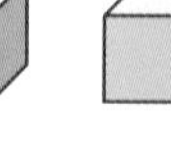

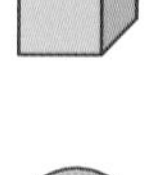

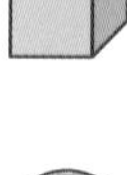

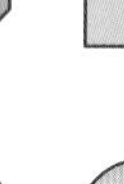

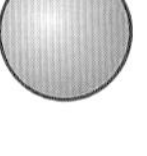
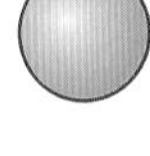

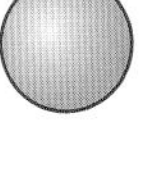
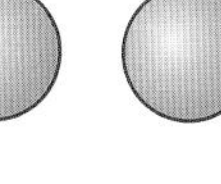

유형 사고력

교과서 사고력

#사다리타기 #수학핵인싸 #천재로_공부하면_천재되지

#난이도별 #천재되는_수학교재

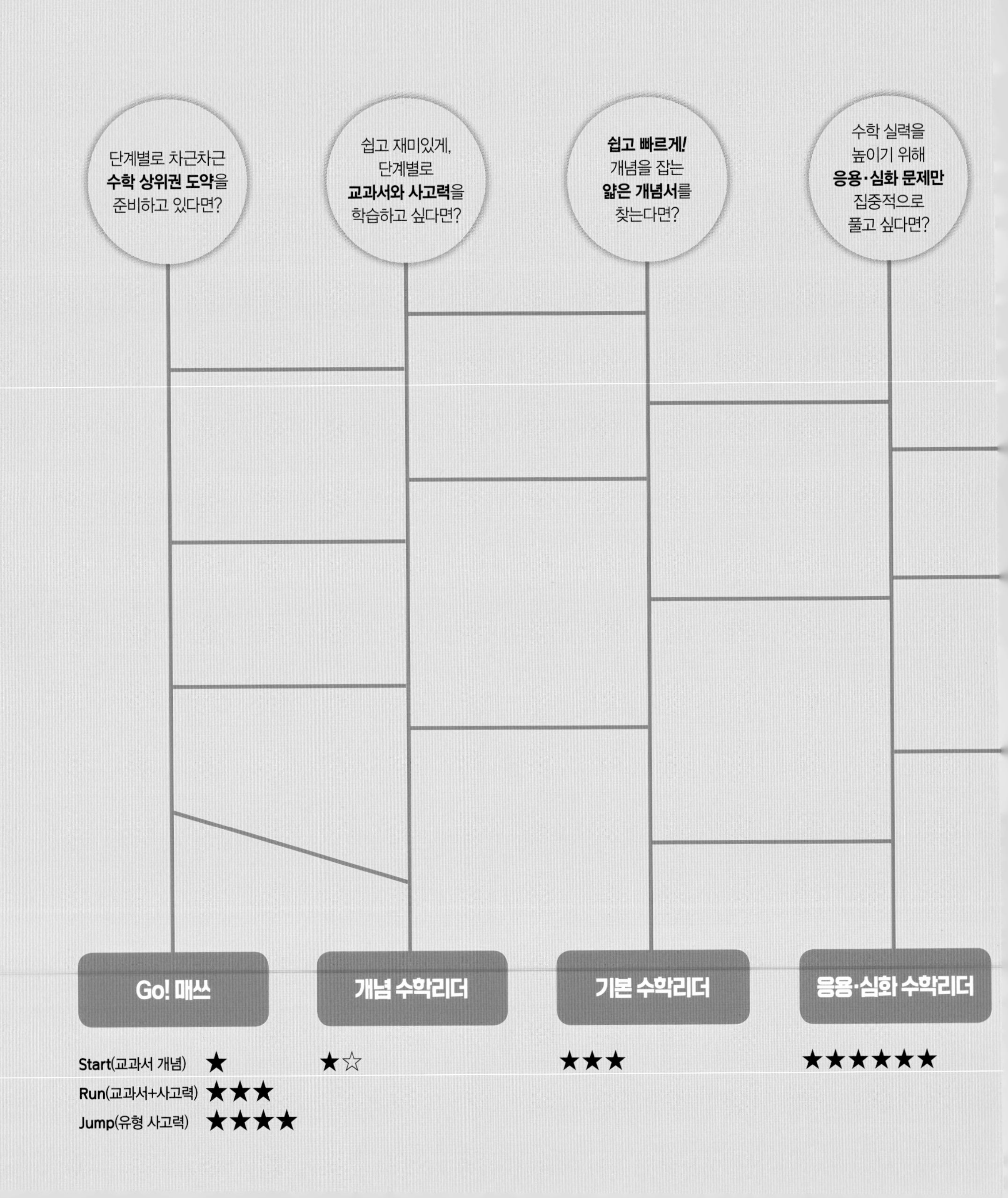
단계별로 차근차근 **수학 상위권 도약**을 준비하고 있다면?
쉽고 재미있게, 단계별로 **교과서와 사고력**을 학습하고 싶다면?
쉽고 빠르게! 개념을 잡는 **얇은 개념서**를 찾는다면?
수학 실력을 높이기 위해 **응용·심화 문제만** 집중적으로 풀고 싶다면?
Go! 매쓰
개념 수학리더
기본 수학리더
응용·심화 수학리더
Start(교과서 개념) ★
Run(교과서+사고력) ★★★
Jump(유형 사고력) ★★★★
★☆
★★★
★★★★★★

사고력
중심

교과서 GO! 사고력 GO!

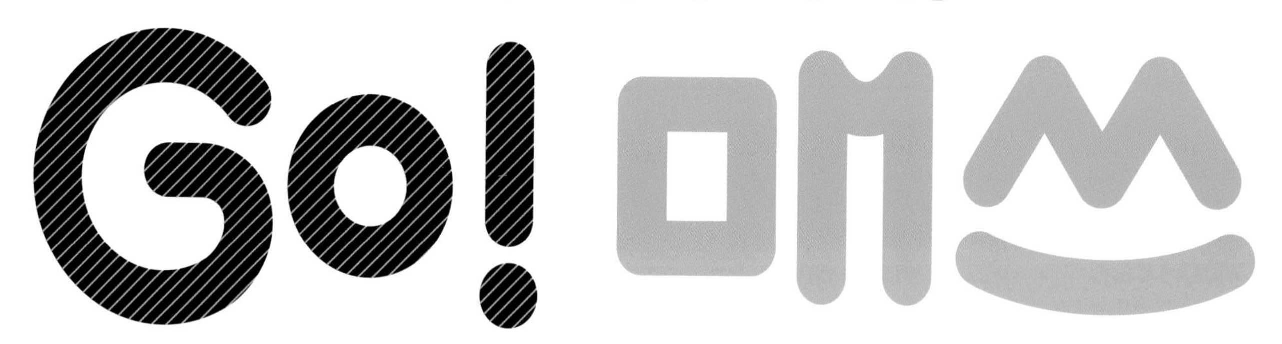

정답과 풀이

수학 1-1

정답과 해설
포인트 2가지

- 선생님이나 학부모가 쉽게 문제와 풀이를 한눈에 볼 수 있어요.
- 자세한 활동 수업에 대한 팁이 가득하게 들어 있어요.

4쪽 ~ 5쪽

1 9까지의 수

옛날 여러 나라의 수 이야기

옛날 여러 나라에서는 수를 어떻게 나타내었는지 알아보고 오늘날 우리가 사용하는 수에 대해서 이야기해 봅시다.

바빌로니아 숫자

바빌로니아에서는 나무나 돌에 다음과 같은 모양을 눌러 써서 수를 나타내었습니다.

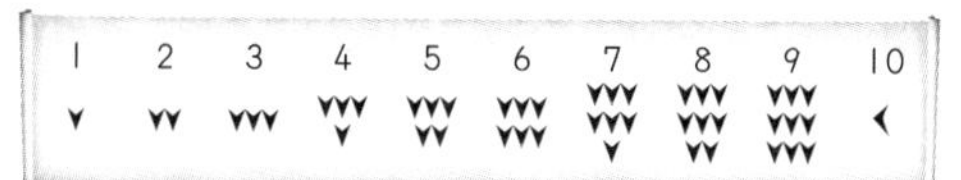

바빌로니아 수는 ▼ 모양의 개수를 세어 보면 바로 알 수 있습니다.

이집트 숫자

이집트에서는 사물이나 동물의 모양을 본떠서 수를 나타내었습니다.

I	II	III	IIII	III II	III III	IIII III	IIII IIII	III III III	∩
1	2	3	4	5	6	7	8	9	10

1을 나타내는 |는 막대기를, 10을 나타내는 ∩는 말발굽을 본뜬 것입니다.

로마 숫자

고대 로마에서 사용되던 로마 숫자는 지금도 다양하게 사용되고 있습니다.

I	II	III	IV	V	VI	VII	VIII	IX	X
1	2	3	4	5	6	7	8	9	10

아라비아 숫자

1	2	3	4	5	6	7	8	9	10

아라비아 숫자는 오늘날 세계에서 가장 널리 사용되는 숫자 표현 기호입니다. 12세기에 아라비아 사람들에 의해 유럽으로 전해지면서 아라비아 숫자라는 이름으로 불리기 시작했습니다.

이집트 숫자를 아라비아 숫자로 나타내어 보세요.

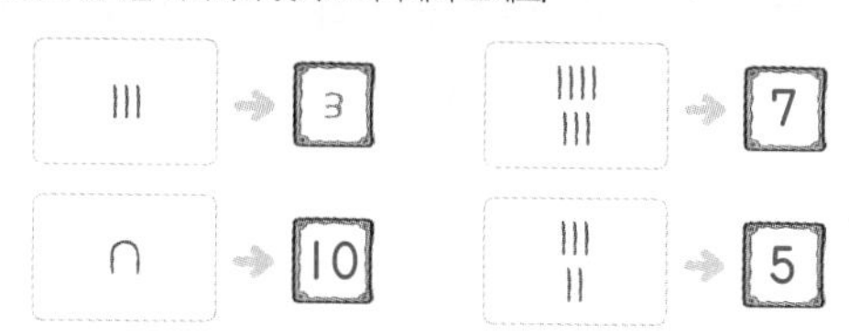

고대 로마 숫자를 써넣어 시계를 완성해 보세요.

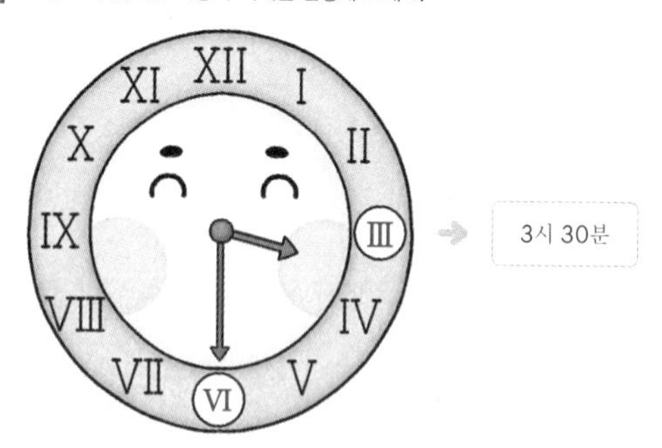

6쪽 ~ 7쪽

1단계 교과서 개념 잡기

개념 1 1, 2, 3, 4, 5 알아보기

			읽기	쓰기
	●	1	하나, 일	1
	●●	2	둘, 이	2
	●●●	3	셋, 삼	3
	●●●●	4	넷, 사	4
	●●●●●	5	다섯, 오	5

개념 2 6, 7, 8, 9, 10 알아보기

			읽기	쓰기
	●●●●● ●	6	여섯, 육	6
	●●●●● ●●	7	일곱, 칠	7
	●●●●● ●●●	8	여덟, 팔	8
	●●●●● ●●●●	9	아홉, 구	9
	●●●●● ●●●●●	10	열, 십	10

→ 9보다 1만큼 더 큰 수

개념 확인 문제

정답과 풀이 p.1

1-1 그림의 수를 세어 빈 곳에 알맞은 수를 써넣으세요.

✤ (1) 컵을 세어 보면 하나, 둘, 셋, 넷이므로 4입니다.
(2) 수첩을 세어 보면 하나, 둘이므로 2입니다.

1-2 가위의 수를 세어 보고 바르게 읽은 것에 ○표 하세요.

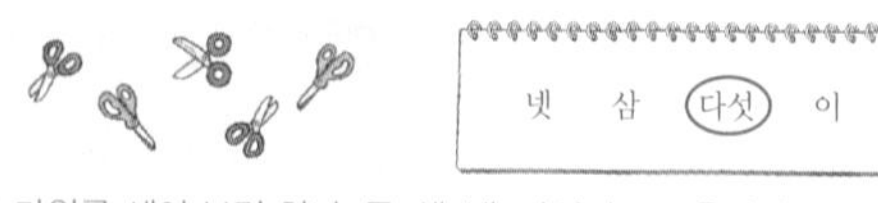

✤ 가위를 세어 보면 하나, 둘, 셋, 넷, 다섯이므로 5입니다. 5는 오 또는 다섯으로 읽습니다.

2-1 관계있는 것끼리 이어 보세요.

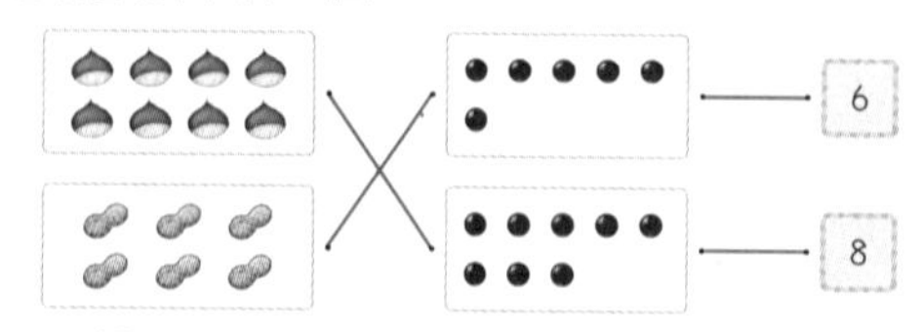

✤ • 밤을 세어 보면 여덟(팔)이므로 8입니다.
• 땅콩을 세어 보면 여섯(육)이므로 6입니다.

2-2 왼쪽의 수만큼 색칠해 보세요.

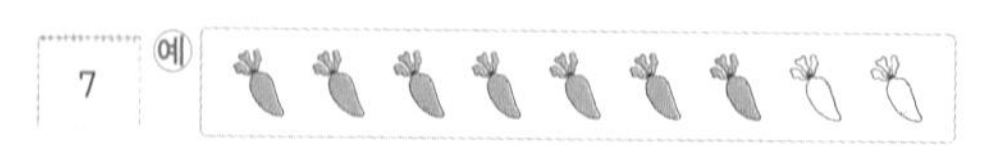

✤ 주어진 수가 7이므로 하나부터 일곱까지 세어 가며 색칠합니다.

개념 3 몇째인지 알아보기

수	1	2	3	4	5	6	7	8	9
순서	첫째	둘째	셋째	넷째	다섯째	여섯째	일곱째	여덟째	아홉째

개념 4 수의 순서 알아보기

• 1부터 9까지의 수를 순서대로 써 봅니다.

1 - 2 - 3 - 4 - 5 - 6 - 7 - 8 - 9

• 1부터 9까지의 수의 순서를 거꾸로 하여 써 봅니다.

9 - 8 - 7 - 6 - 5 - 4 - 3 - 2 - 1

개념 Play

순서에 맞게 빈 곳에 붙임딱지를 붙여 기차를 완성해 보세요.

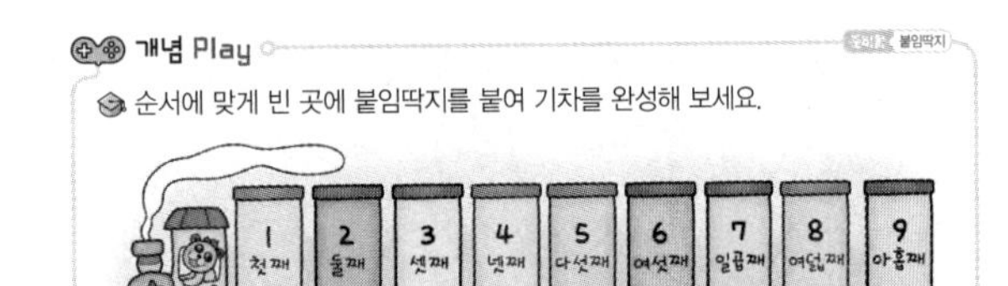

개념 확인 문제

정답과 풀이 p.2

3-1 그림을 보고 순서에 맞게 이어 보세요.

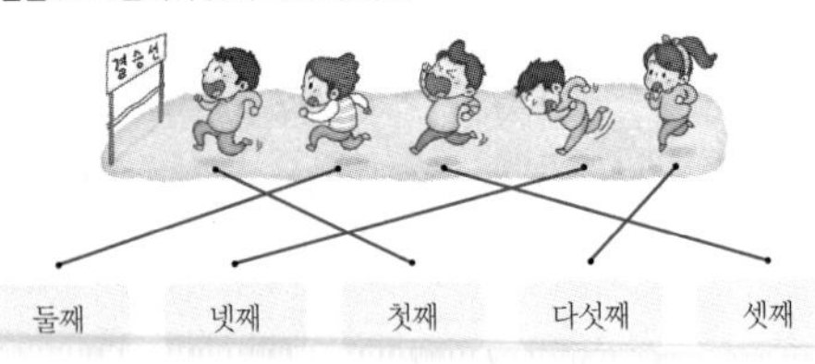

둘째 넷째 첫째 다섯째 셋째

✣ 결승선에서부터 첫째, 둘째, 셋째, 넷째, 다섯째입니다.

3-2 왼쪽에서부터 알맞게 색칠해 보세요.

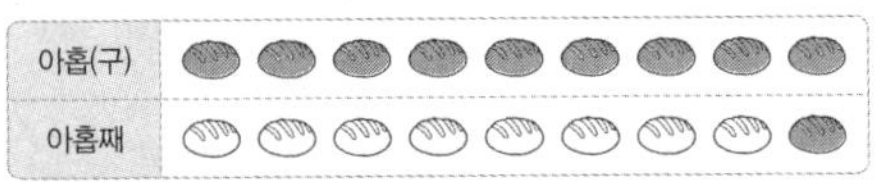

아홉(구)

아홉째

✣ 아홉은 개수를 나타내므로 9개에 색칠하고, 아홉째는 순서를 나타내므로 아홉째에만 색칠합니다.

4-1 수의 순서에 맞게 빈 곳에 알맞은 수를 써넣으세요.

✣ 수를 순서대로 쓰면 1, 2, 3, 4, 5, 6, 7, 8, 9입니다.

4-2 순서를 거꾸로 하여 빈 곳에 알맞은 수를 써넣으세요.

✣ 수의 순서를 거꾸로 하여 쓰면 9, 8, 7, 6, 5, 4, 3, 2, 1입니다.

개념 5 1만큼 더 큰 수와 1만큼 더 작은 수 알아보기

수를 순서대로 썼을 때 바로 뒤의 수가 1만큼 더 큰 수이고, 바로 앞의 수가 1만큼 더 작은 수입니다.

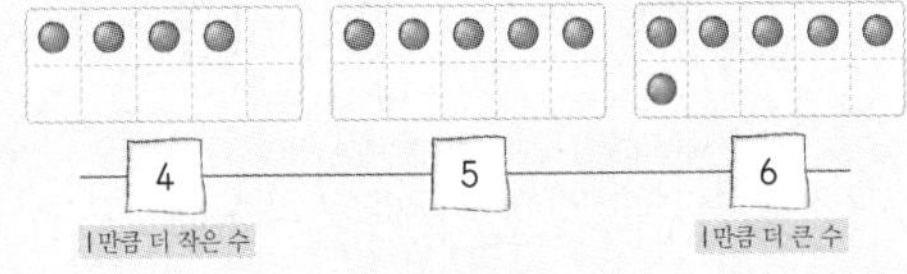

4 — 5 — 6

1만큼 더 작은 수 / 1만큼 더 큰 수

➜ 5보다 1만큼 더 큰 수는 6입니다.
5보다 1만큼 더 작은 수는 4입니다.

개념 6 0 알아보기

아무것도 없는 것을 0이라 쓰고, 영이라고 읽습니다.

2 1 0

개념 Play

주어진 수만큼 어항에 금붕어 붙임딱지를 붙여 보세요.

3 0 1 2

개념 확인 문제

정답과 풀이 p.2

5-1 수를 보고 □ 안에 알맞은 수를 써넣으세요.

1 - 2 - 3 - 4 - 5 - 6 - 7 - 8 - 9

(1) 5보다 1만큼 더 큰 수는 6입니다.

(2) 8보다 1만큼 더 작은 수는 7입니다.

✣ (1) 5 바로 뒤의 수는 6이므로 5보다 1만큼 더 큰 수는 6입니다.
(2) 8 바로 앞의 수는 7이므로 8보다 1만큼 더 작은 수는 7입니다.

5-2 빈 곳에 알맞은 수를 써넣으세요.

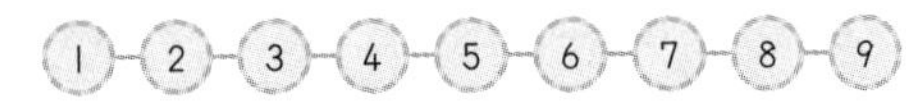

5 — 7

1만큼 더 작은 수 / 1만큼 더 큰 수

✣ 당근의 수를 세어 보면 여섯이므로 6입니다. 6보다 1만큼 더 작은 수는 5이고, 6보다 1만큼 더 큰 수는 7입니다.

6-1 꽃의 수를 세어 빈 곳에 알맞은 수를 써넣으세요.

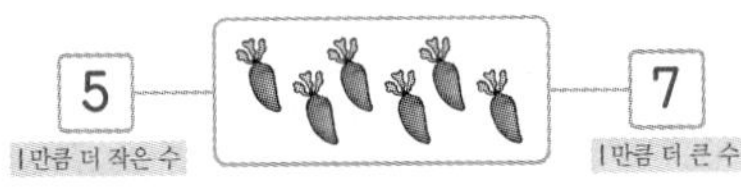

2 1 0

✣ 아무것도 없는 것을 0이라고 합니다.

6-2 알맞은 수에 ○표 하세요.

1보다 1만큼 더 작은 수는 (⓪, 2)입니다.

✣ 1보다 1만큼 더 작은 수는 1 바로 앞의 수인 0입니다.

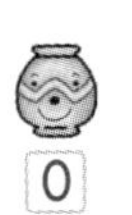

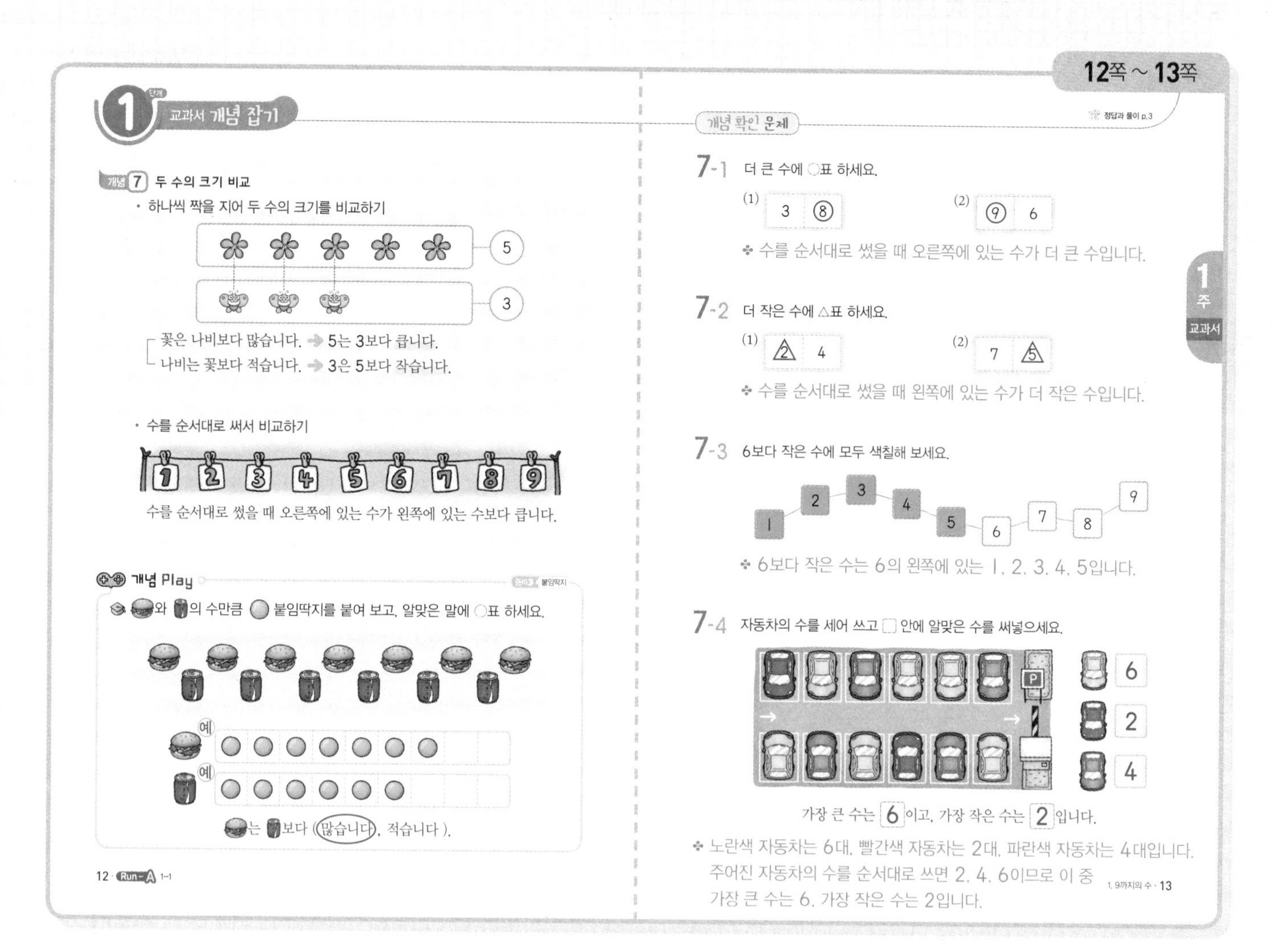
12쪽 ~ 13쪽

1단계 교과서 개념 잡기

개념 7 두 수의 크기 비교

• 하나씩 짝을 지어 두 수의 크기를 비교하기

5

3

꽃은 나비보다 많습니다. ➜ 5는 3보다 큽니다.
나비는 꽃보다 적습니다. ➜ 3은 5보다 적습니다.

• 수를 순서대로 써서 비교하기

1 2 3 4 5 6 7 8 9

수를 순서대로 썼을 때 오른쪽에 있는 수가 왼쪽에 있는 수보다 큽니다.

개념 Play 붙임딱지

🍔와 🥫의 수만큼 ● 붙임딱지를 붙여 보고, 알맞은 말에 ○표 하세요.

예

예

🍔는 🥫보다 (많습니다, 적습니다).

12 · Run-A 1-1

개념 확인 문제

정답과 풀이 p.3

7-1 더 큰 수에 ○표 하세요.

(1) 3 ⑧ (2) ⑨ 6

✤ 수를 순서대로 썼을 때 오른쪽에 있는 수가 더 큰 수입니다.

7-2 더 작은 수에 △표 하세요.

(1) ②(△) 4 (2) 7 ⑤(△)

✤ 수를 순서대로 썼을 때 왼쪽에 있는 수가 더 작은 수입니다.

7-3 6보다 작은 수에 모두 색칠해 보세요.

1 2 3 4 5 6 7 8 9

✤ 6보다 작은 수는 6의 왼쪽에 있는 1, 2, 3, 4, 5입니다.

7-4 자동차의 수를 세어 쓰고 □ 안에 알맞은 수를 써넣으세요.

6

2

4

가장 큰 수는 6이고, 가장 작은 수는 2입니다.

✤ 노란색 자동차는 6대, 빨간색 자동차는 2대, 파란색 자동차는 4대입니다.
주어진 자동차의 수를 순서대로 쓰면 2, 4, 6이므로 이 중 가장 큰 수는 6, 가장 작은 수는 2입니다.

1. 9까지의 수 · 13

1주 교과서

14쪽 ~ 15쪽

PLAY 교과서 개념 스토리 곤충의 집 완성하기

붙임딱지

숲속에는 여러 곤충들이 살고 있어요. 지붕에 쓰여 있는 수만큼 곤충들이 들어갈 수 있지요.
수를 읽어 새로운 지붕 붙임딱지를 붙이고, 그 수만큼 있는 곤충 붙임딱지를 붙여 곤충의 집을 완성해 볼까요?

14 · Run-A 1-1

1. 9까지의 수 · 15

1주 교과서

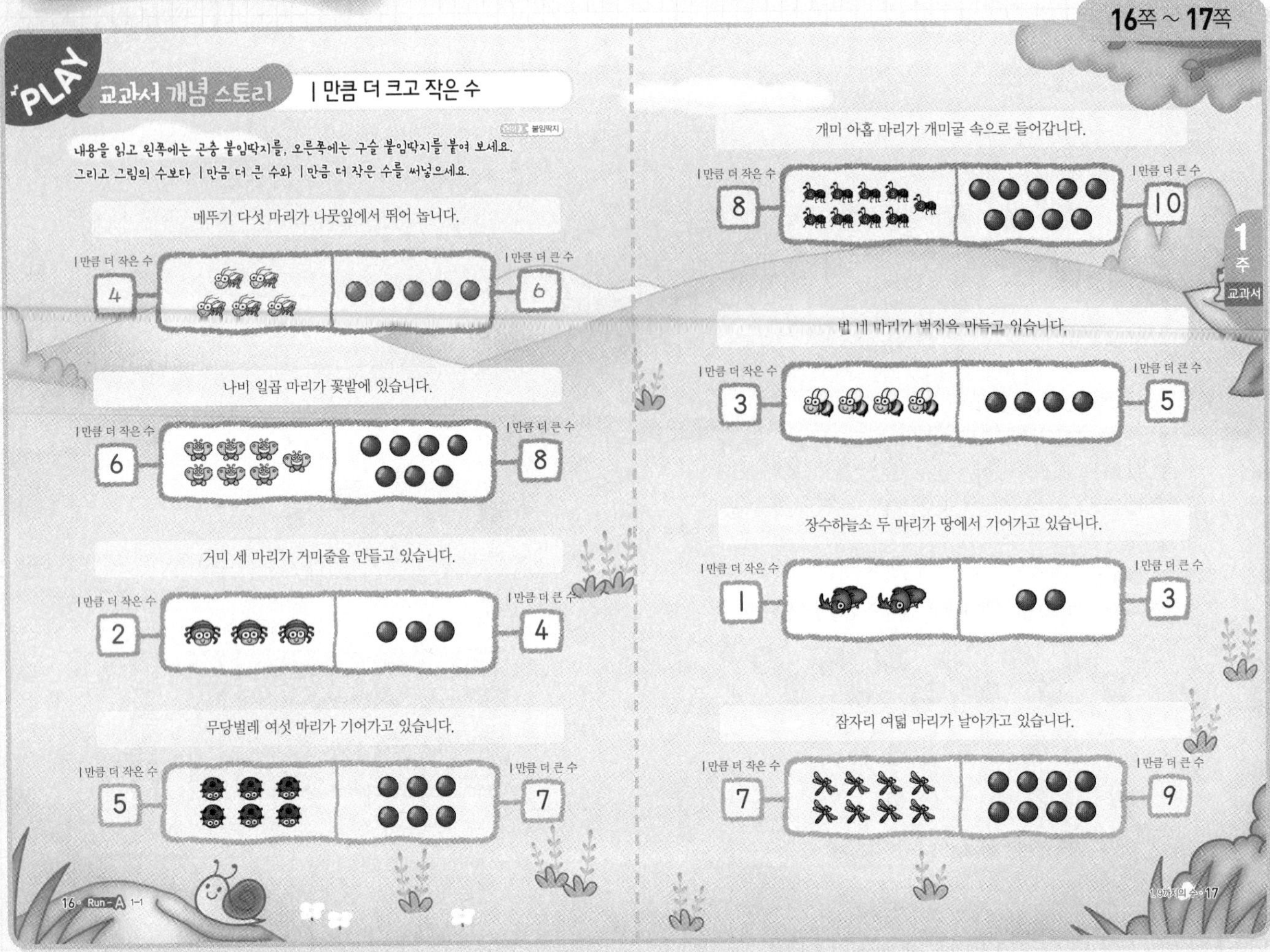
16쪽 ~ 17쪽

PLAY 교과서 개념 스토리 | 1만큼 더 크고 작은 수

내용을 읽고 왼쪽에는 곤충 붙임딱지를, 오른쪽에는 구슬 붙임딱지를 붙여 보세요.
그리고 그림의 수보다 1만큼 더 큰 수와 1만큼 더 작은 수를 써넣으세요.

글	1만큼 더 작은 수	1만큼 더 큰 수
메뚜기 다섯 마리가 나뭇잎에서 뛰어 놉니다.	4	6
나비 일곱 마리가 꽃밭에 있습니다.	6	8
거미 세 마리가 거미줄을 만들고 있습니다.	2	4
무당벌레 여섯 마리가 기어가고 있습니다.	5	7
개미 아홉 마리가 개미굴 속으로 들어갑니다.	8	10
벌 네 마리가 벌집을 만들고 있습니다.	3	5
장수하늘소 두 마리가 땅에서 기어가고 있습니다.	1	3
잠자리 여덟 마리가 날아가고 있습니다.	7	9

16 · Run - A 1-1　　1. 9까지의 수 · 17

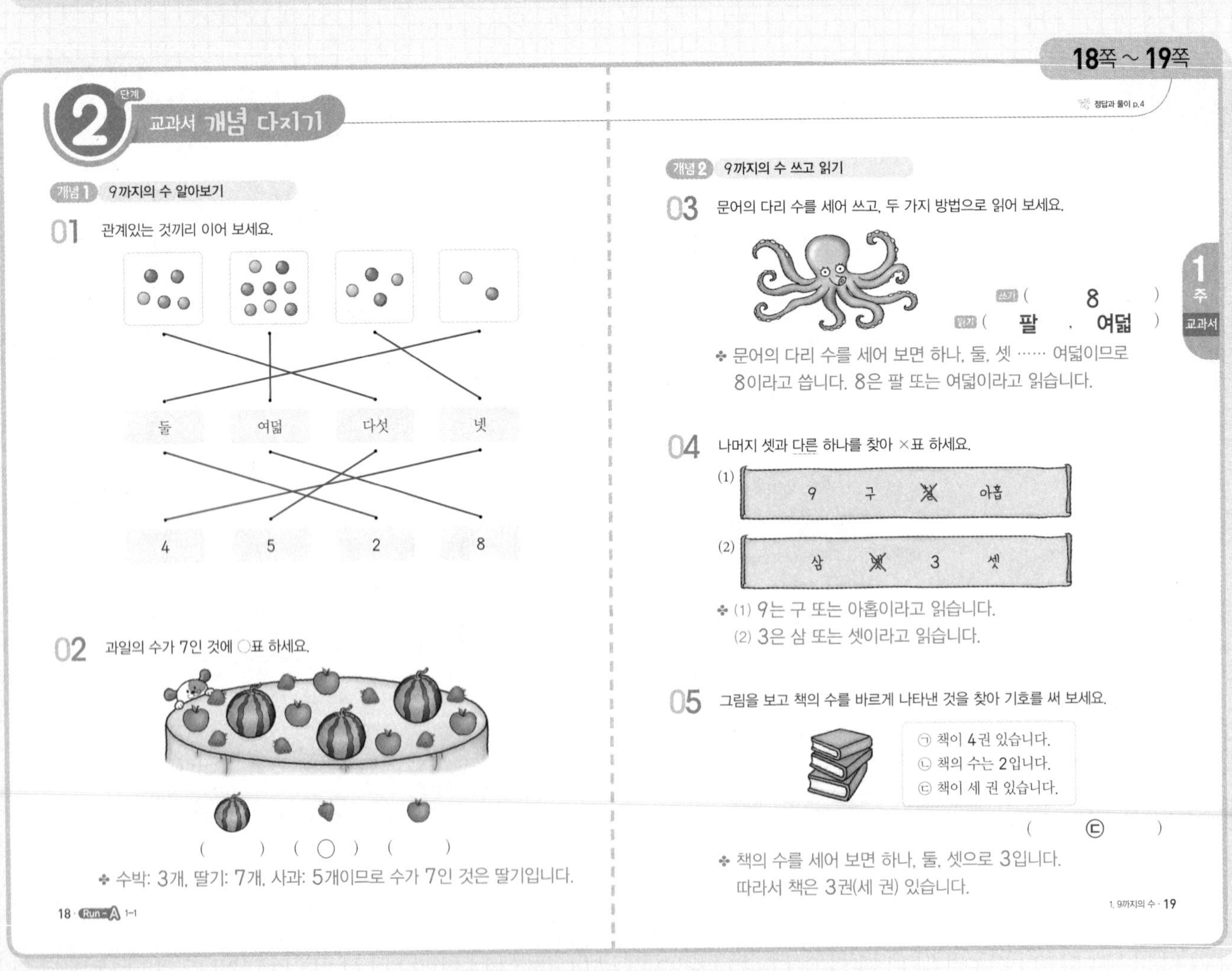
18쪽 ~ 19쪽

2단계 교과서 개념 다지기

정답과 풀이 p.4

개념 1 9까지의 수 알아보기

01 관계있는 것끼리 이어 보세요.

둘　여덟　다섯　넷

4　5　2　8

02 과일의 수가 7인 것에 ○표 하세요.

(　　) (　○　) (　　)

✤ 수박: 3개, 딸기: 7개, 사과: 5개이므로 수가 7인 것은 딸기입니다.

개념 2 9까지의 수 쓰고 읽기

03 문어의 다리 수를 세어 쓰고, 두 가지 방법으로 읽어 보세요.

쓰기 (　8　)
읽기 (　팔　,　여덟　)

✤ 문어의 다리 수를 세어 보면 하나, 둘, 셋 …… 여덟이므로 8이라고 씁니다. 8은 팔 또는 여덟이라고 읽습니다.

04 나머지 셋과 다른 하나를 찾아 ×표 하세요.

(1) 9　구　~~8~~　아홉

(2) 삼　~~오~~　3　셋

✤ (1) 9는 구 또는 아홉이라고 읽습니다.
(2) 3은 삼 또는 셋이라고 읽습니다.

05 그림을 보고 책의 수를 바르게 나타낸 것을 찾아 기호를 써 보세요.

㉠ 책이 4권 있습니다.
㉡ 책의 수는 2입니다.
㉢ 책이 세 권 있습니다.

(　㉢　)

✤ 책의 수를 세어 보면 하나, 둘, 셋으로 3입니다.
따라서 책은 3권(세 권) 있습니다.

18 · Run - A 1-1　　1. 9까지의 수 · 19

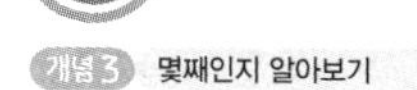

개념 3 몇째인지 알아보기

06 알맞은 그림에 ○표 하세요.

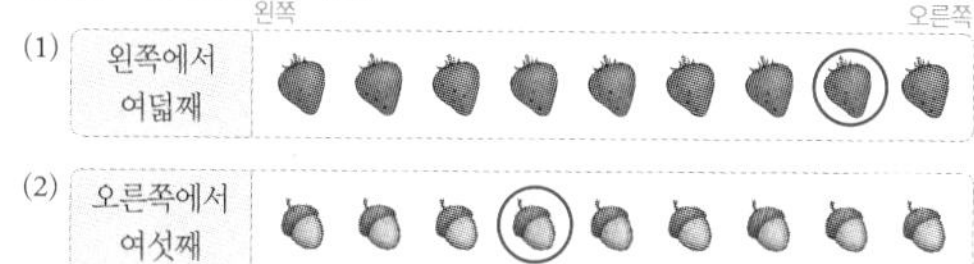

07 터진 풍선은 오른쪽에서 몇째에 있을까요?

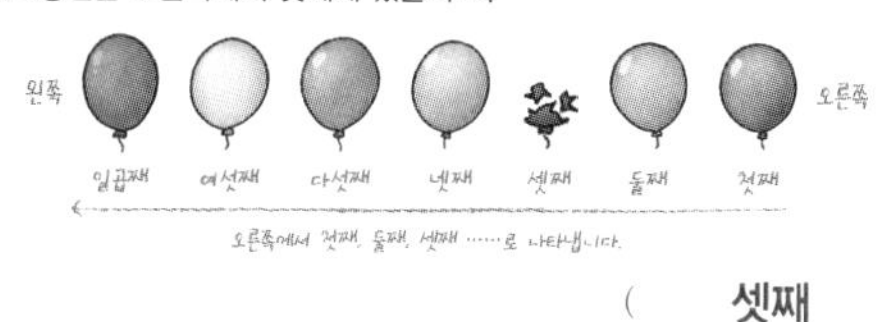

(셋째)

08 알맞게 이어 보세요.

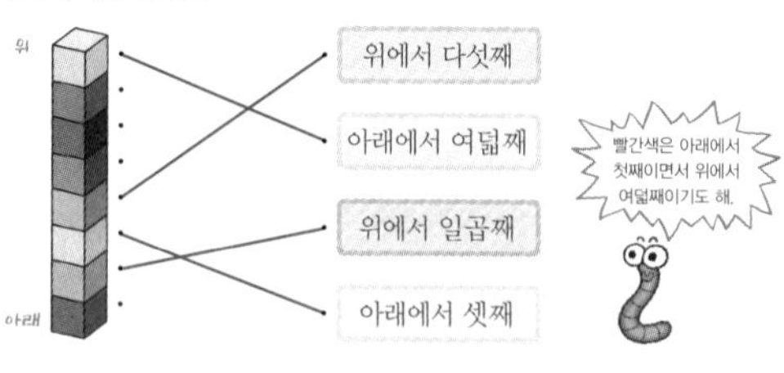

개념 4 수의 순서 알아보기

09 1부터 9까지의 수를 순서대로 이어 보세요.

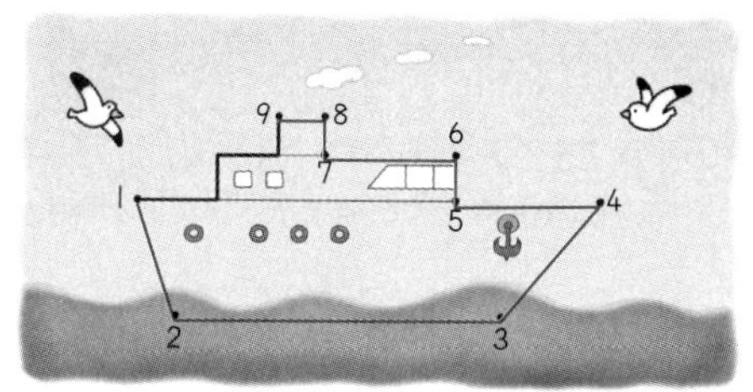

❖ 1부터 9까지의 수를 순서대로 이어 보면 배 모양이 나옵니다.

10 ㉠에 알맞은 수는 무엇일까요?

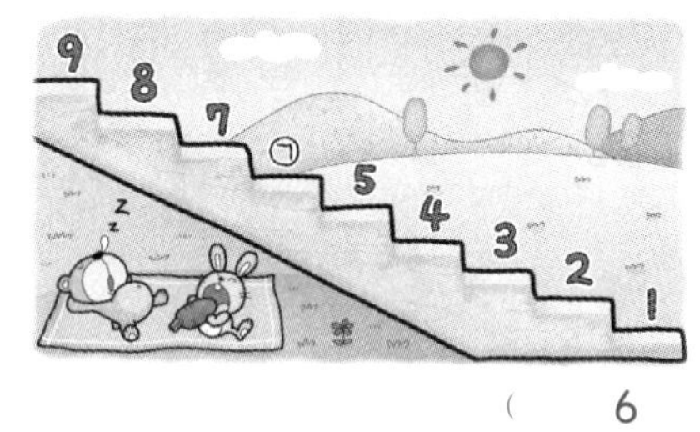

(6)

❖ 9부터 수의 순서를 거꾸로 써 봅니다.
➔ 9－8－7－6－5－4－3－2－1이므로 ㉠에 알맞은 수는 6입니다.

2단계 교과서 개념 다지기

개념 5 1만큼 더 큰 수와 1만큼 더 작은 수

11 가방의 수는 8입니다. 가방의 수보다 1만큼 더 큰 수와 1만큼 더 작은 수를 써 보세요.

(1) 8보다 1만큼 더 큰 수는 9 입니다.

(2) 8보다 1만큼 더 작은 수는 7 입니다.

12 설명한 수는 무엇인지 쓰고 읽어 보세요.

1보다 1만큼 더 작은 수

쓰기 (0)
읽기 (영)

❖ 1보다 1만큼 더 작은 수는 1 바로 앞의 수인 0입니다. 0은 영이라고 읽습니다.

13 빈 곳에 알맞은 수를 써넣으세요.

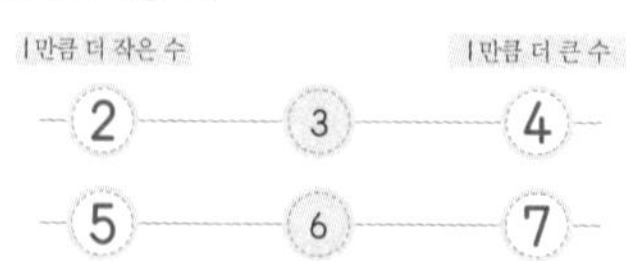

❖ • 3보다 1만큼 더 큰 수는 3 바로 뒤의 수인 4이고, 3보다 1만큼 더 작은 수는 3 바로 앞의 수인 2입니다.
• 6보다 1만큼 더 큰 수는 6 바로 뒤의 수인 7이고, 6보다 1만큼 더 작은 수는 6 바로 앞의 수인 5입니다.

개념 6 수의 크기 비교

14 7과 5의 크기를 비교하려고 합니다. □ 안에 알맞은 수를 써넣으세요.

(1) 7 은(는) 5 보다 큽니다.

(2) 5 은(는) 7 보다 작습니다.

❖ 수를 순서대로 쓸 때 7은 5보다 뒤에 있으므로 7은 5보다 큽니다.

15 빵과 우유 중에서 어느 것이 더 많을까요?

(빵)

❖ 빵은 9개이고, 우유는 7개입니다. 따라서 빵이 더 많습니다.

16 가장 큰 수에 ○표, 가장 작은 수에 △표 하세요.

❖ 수를 작은 수부터 순서대로 쓰면 1, 3, 5, 7입니다. 따라서 가장 큰 수는 7이고, 가장 작은 수는 1입니다.

24쪽 ~ 25쪽

정답과 풀이 p.6

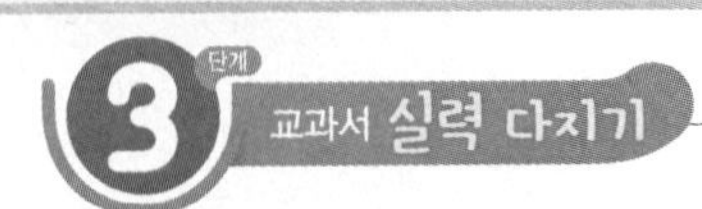

3단계 교과서 실력 다지기

9까지의 수 세어 보기

1 그림을 보고 □ 안에 알맞은 수를 써넣으세요.

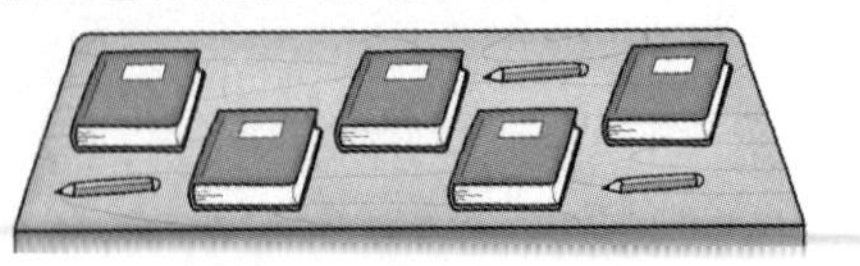

5권, 3자루, 0개

개념 피드백 • 세어 보기

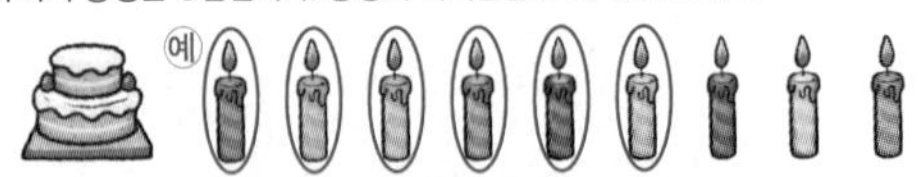

하나 둘 셋 넷 다섯 여섯 일곱 여덟 아홉

1-1 유미의 동생은 6살입니다. 동생의 나이만큼 초에 ○표 하세요.

예

✤ 6살이므로 초가 6개 필요합니다. 따라서 초 6개에 ○표 합니다.

1-2 구슬이 8개가 되려면 몇 개가 더 있어야 할까요?

(2개)

✤ 주머니 안에 구슬이 6개 담겨져 있으므로 구슬이 8개가 되려면 2개가 더 있어야 합니다.

9까지의 수 읽기

2 보기에서 그림과 관계있는 말을 모두 골라 □ 안에 써넣으세요.

보기: 삼, 일곱, 육, 여덟, 오, 여섯, 아홉

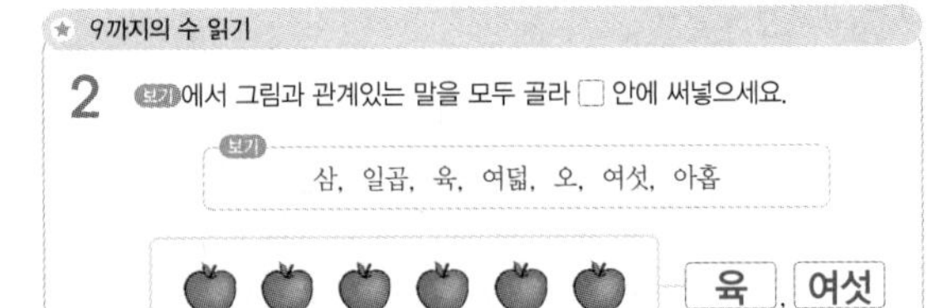

육, 여섯

개념 피드백 • 수 쓰고 읽기 — 쓰기 5 읽기 오 또는 다섯

✤ 사과의 수를 세어 보면 하나, 둘, 셋, 넷, 다섯, 여섯이므로 6입니다. 6은 육 또는 여섯이라고 읽습니다.

2-1 주어진 수만큼 도넛을 묶고, 묶지 않은 도넛의 수를 세어 두 가지 방법으로 읽어 보세요. 예

7

(이 , 둘)

✤ 도넛을 7개만큼 세어 묶어 보면 도넛 2개가 남습니다. 따라서 묶지 않은 도넛의 수는 2이므로 이 또는 둘이라고 읽습니다.

2-2 나머지 두 사람과 다른 수를 말한 사람은 누구일까요?

승기: 나는 사탕이 9개 있어.
민지: 우리 가족은 5명이야.
정아: 우리 오빠는 아홉 살이야.

(민지)

✤ 세 사람이 말한 수를 써 보면 승기는 9, 민지는 5, 정아는 9입니다. 따라서 나머지 두 사람과 다른 수를 말한 사람은 민지입니다.

26쪽 ~ 27쪽

정답과 풀이 p.6

3단계 교과서 실력 다지기

수의 순서

3 사물함의 번호를 수의 순서대로 써넣으세요.

1	2	3	4
5	6	7	8

개념 피드백 • 수의 순서 — 1부터 수를 순서대로 써 봅니다. 1 - 2 - 3 - 4 - 5 - 6 - 7 - 8 - 9

3-1 동물들이 순서대로 줄을 서 있습니다. 순서에 맞게 알맞은 수를 써넣으세요.

2 5 1 4 3

✤ 토끼 — 호랑이 — 돼지 — 강아지 — 하마
첫째 — 둘째 — 셋째 — 넷째 — 다섯째
(1) (2) (3) (4) (5)

3-2 5명의 학생이 한 줄로 서 있습니다. 선영이는 앞에서 셋째에 서 있습니다. 선영이는 뒤에서 몇째에 서 있을까요?

(셋째)

✤ ○를 5개 그리고 앞에서 셋째에 색칠합니다.
(앞) ○ ○ ● ○ ○ (뒤)
뒤에서부터 순서를 세면 색칠한 것은 뒤에서 셋째입니다. 따라서 선영이는 뒤에서 셋째에 서 있습니다.

1만큼 더 큰 수와 1만큼 더 작은 수

4 진영이는 초콜릿 6개 중에서 1개를 친구에게 주었습니다. 진영이에게 남은 초콜릿은 몇 개일까요?

답 5개

개념 피드백 1만큼 더 작은 수 — 5 — 6 — 7 — 1만큼 더 큰 수

✤ • 무당벌레의 수를 세어 보면 여섯이므로 6입니다. 6보다 1만큼 더 큰 수는 7입니다.

4-1 그림의 수보다 1만큼 더 큰 수를 찾아 이어 보세요.

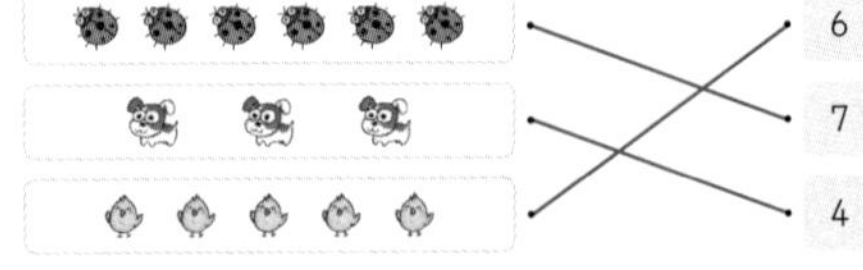

• 강아지의 수를 세어 보면 셋이므로 3입니다. 3보다 1만큼 더 큰 수는 4입니다.
• 병아리의 수를 세어 보면 다섯이므로 5입니다. 5보다 1만큼 더 큰 수는 6입니다.

4-2 □ 안에 알맞은 수를 써넣으세요.

6은 ㉠ 5 보다 1만큼 더 큰 수이고
㉡ 7 보다 1만큼 더 작은 수입니다.

✤ • 6은 ㉠보다 1만큼 더 큰 수이므로 ㉠은 6보다 1만큼 더 작은 수인 5입니다.
• 6은 ㉡보다 1만큼 더 작은 수이므로 ㉡은 6보다 1만큼 더 큰 수인 7입니다.

정답과 풀이 p.7

★ 수의 크기 비교

5 1부터 9까지의 수를 보고 5보다 작은 수를 모두 써 보세요.

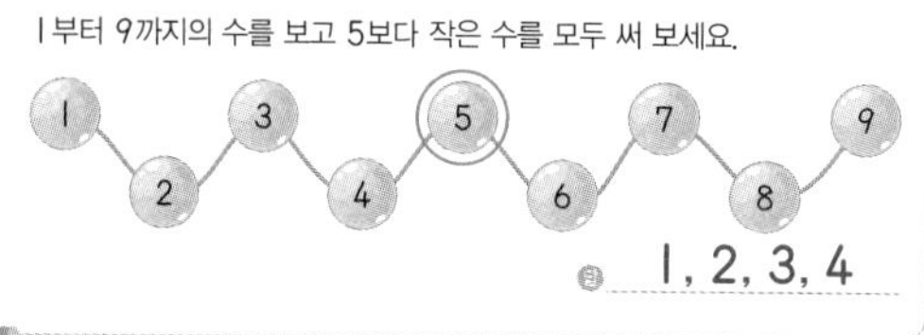

답 1, 2, 3, 4

개념 지도북 • 5보다 작은 수와 5보다 큰 수

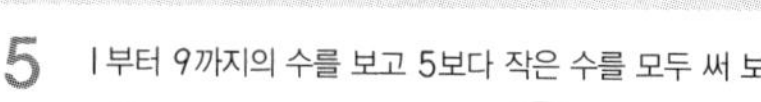

5-1 승기와 세형이는 주사위를 굴려서 더 큰 수가 나오는 사람이 이기는 게임을 했습니다. 승기와 세형이 중에서 누가 이겼을까요?

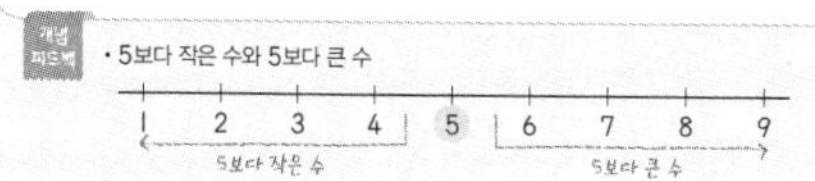

(세형)

✤ 1과 3 중에서 더 큰 수는 3입니다. 따라서 세형이가 이겼습니다.

5-2 주어진 수를 작은 수부터 순서대로 써 보세요.

6 1 2 9 5

(1, 2, 5, 6, 9)

✤ 1부터 9까지의 수를 순서대로 쓸 때 앞에 있는 수부터 순서대로 쓰면 1, 2, 5, 6, 9입니다.

★ 조건에 알맞은 수 구하기

6 다음에서 설명하는 수를 두 가지 방법으로 읽어 보세요.

• 5와 9 사이의 수입니다.
• 7보다 큽니다.

답 팔, 여덟

개념 지도북 • 사이의 수

✤ 5와 9 사이의 수는 6, 7, 8이고 이 중에서 7보다 큰 수는 8입니다. 8은 팔 또는 여덟이라고 읽습니다.

6-1 오른쪽 휴대 전화의 비밀번호를 알아보려고 합니다. □ 안에 알맞은 수를 써넣으세요.

• 둘째 수는 아무것도 없는 것을 나타내는 수입니다.
• 넷째 수는 7보다 큰 수입니다.
• 넷째 수는 9보다 1만큼 더 작은 수입니다.

(1) 아무것도 없는 것을 나타내는 수는 0입니다.

(2) 0부터 9까지의 수 중에서 7보다 큰 수는 8, 9입니다.

(3) 9보다 1만큼 더 작은 수는 8입니다.

(4) 휴대 전화의 비밀번호는 2 0 4 8입니다.

1주 교과서

Test 교과서 서술형 연습

정답과 풀이 p.7

1 나타내는 수가 나머지 셋과 다른 것을 찾아 기호를 써 보세요.

㉠ 5보다 1만큼 더 큰 수 ㉡ 여섯
㉢ 육 ㉣ 8보다 1만큼 더 작은 수

해결하기 ㉠ 5보다 1만큼 더 큰 수는 6입니다.
㉡ 여섯은 6입니다.
㉢ 육은 6입니다.
㉣ 8보다 1만큼 더 작은 수는 7입니다.
따라서 나타내는 수가 나머지 셋과 다른 것은 ㉣입니다.

답 구하기 ㉣

2 나타내는 수가 나머지 셋과 다른 것을 찾아 기호를 써 보세요.

㉠ 일곱 ㉡ (야구공 7개)
㉢ 8보다 1만큼 더 큰 수 ㉣ 칠

해결하기 예 ㉠ 일곱은 7입니다. ㉡ 야구공의 수는 7입니다. ㉢ 8보다 1만큼 더 큰 수는 9입니다. ㉣ 칠은 7입니다.
따라서 나타내는 수가 나머지 셋과 다른 것은 ㉢입니다.

답 구하기 ㉢

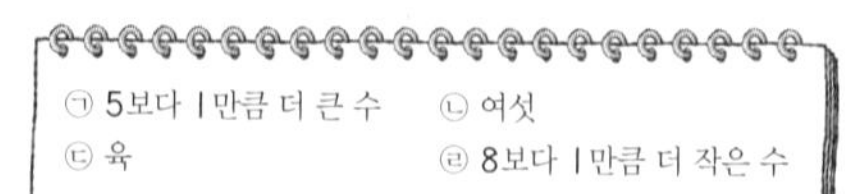

3 아영이는 농장에서 친구들과 귤을 땄습니다. 아영이는 5개, 지민이는 7개, 경수는 지민이보다 1개 더 많이 땄습니다. 귤을 많이 딴 순서대로 이름을 써 보세요.

구하려는 것, 주어진 것에 선을 그어 봅니다.

해결하기 7보다 1만큼 더 큰 수는 8입니다.
귤을 아영이는 5개, 지민이는 7개, 경수는 8개 땄습니다.
따라서 귤을 많이 딴 순서대로 이름을 쓰면 경수, 지민, 아영이입니다.

답 구하기 경수, 지민, 아영

4 진우는 밭에서 친구들과 옥수수를 땄습니다. 진우는 6개, 혜정이는 5개, 경석이는 혜정이보다 1개 더 적게 땄습니다. 옥수수를 적게 딴 순서대로 이름을 써 보세요.

주어진 것 구하려는 것

구하려는 것, 주어진 것에 선을 그어 봅니다.

해결하기 예 5보다 1만큼 더 작은 수는 4입니다.
옥수수를 진우는 6개, 혜정이는 5개, 경석이는 4개 땄습니다.
따라서 옥수수를 적게 딴 순서대로 이름을 쓰면 경석, 혜정, 진우입니다.

답 구하기 경석, 혜정, 진우

1주 교과서

32쪽 ~ 33쪽

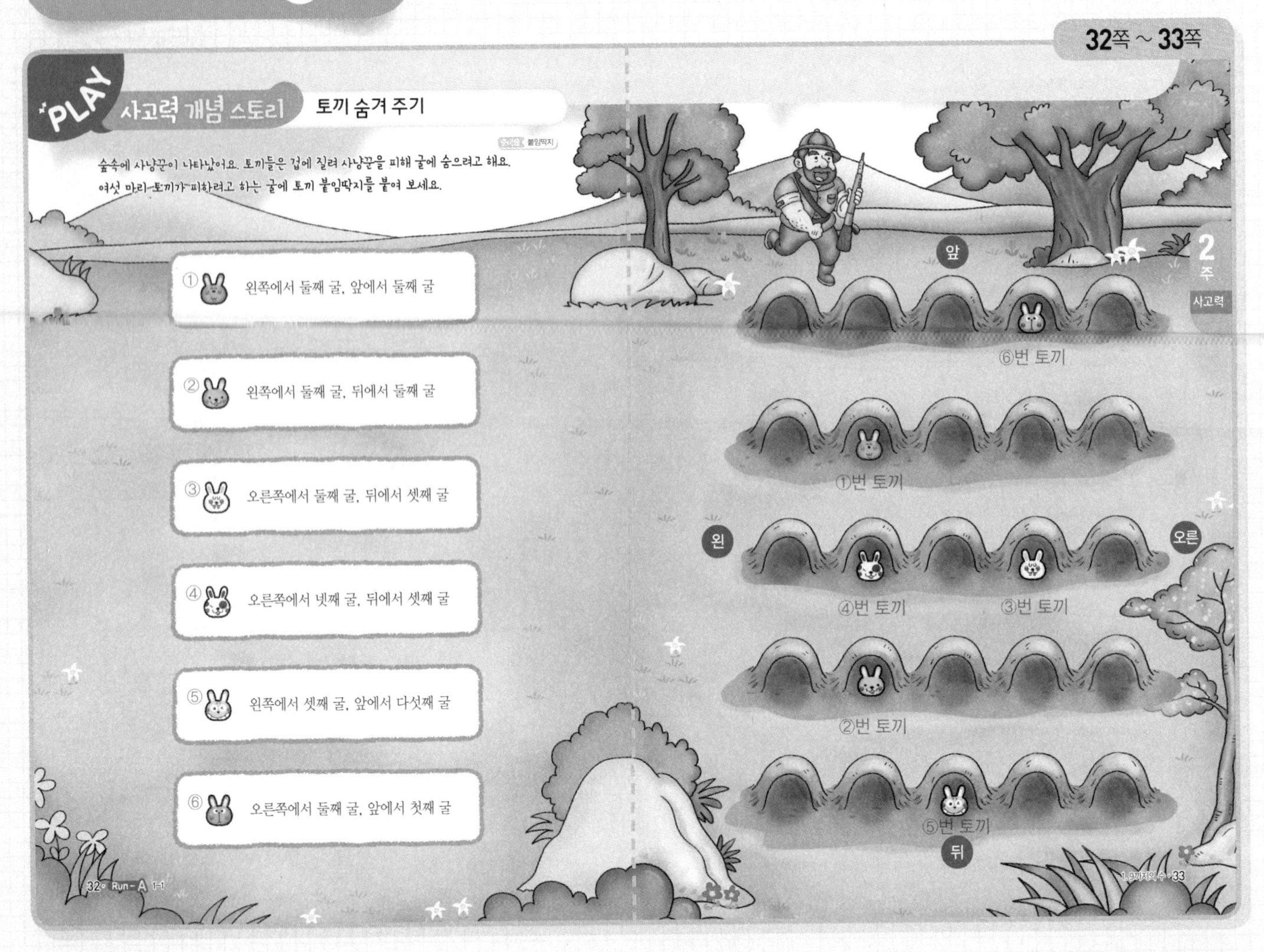

PLAY 사고력 개념 스토리 토끼 숨겨 주기
준비물 붙임딱지
숲속에 사냥꾼이 나타났어요. 토끼들은 겁에 질려 사냥꾼을 피해 굴에 숨으려고 해요.
여섯 마리 토끼가 피하려고 하는 굴에 토끼 붙임딱지를 붙여 보세요.
① 왼쪽에서 둘째 굴, 앞에서 둘째 굴
② 왼쪽에서 둘째 굴, 뒤에서 둘째 굴
③ 오른쪽에서 둘째 굴, 뒤에서 셋째 굴
④ 오른쪽에서 넷째 굴, 뒤에서 셋째 굴
⑤ 왼쪽에서 셋째 굴, 앞에서 다섯째 굴
⑥ 오른쪽에서 둘째 굴, 앞에서 첫째 굴
앞
⑥번 토끼
①번 토끼
왼
오른
④번 토끼
③번 토끼
②번 토끼
⑤번 토끼
뒤
2주 사고력
32 Run-A 1-1
1. 9까지의 수 33

34쪽 ~ 35쪽

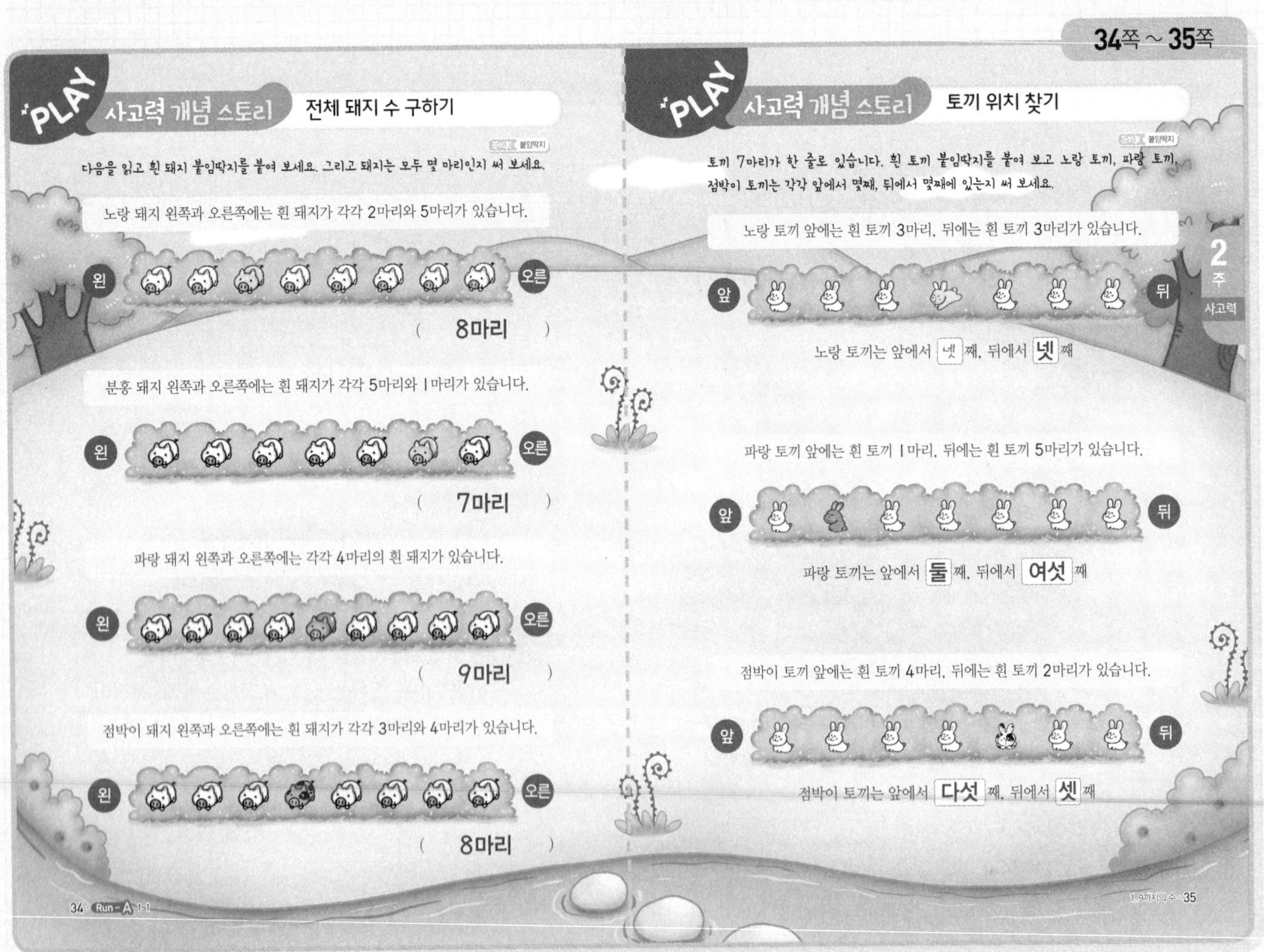

PLAY 사고력 개념 스토리 전체 돼지 수 구하기
준비물 붙임딱지
다음을 읽고 흰 돼지 붙임딱지를 붙여 보세요. 그리고 돼지는 모두 몇 마리인지 써 보세요.
노랑 돼지 왼쪽과 오른쪽에는 흰 돼지가 각각 2마리와 5마리가 있습니다.
왼
오른
(8마리)
분홍 돼지 왼쪽과 오른쪽에는 흰 돼지가 각각 5마리와 1마리가 있습니다.
(7마리)
파랑 돼지 왼쪽과 오른쪽에는 각각 4마리의 흰 돼지가 있습니다.
(9마리)
점박이 돼지 왼쪽과 오른쪽에는 흰 돼지가 각각 3마리와 4마리가 있습니다.
(8마리)
PLAY 사고력 개념 스토리 토끼 위치 찾기
준비물 붙임딱지
토끼 7마리가 한 줄로 있습니다. 흰 토끼 붙임딱지를 붙여 보고 노랑 토끼, 파랑 토끼, 점박이 토끼는 각각 앞에서 몇째, 뒤에서 몇째에 있는지 써 보세요.
노랑 토끼 앞에는 흰 토끼 3마리, 뒤에는 흰 토끼 3마리가 있습니다.
앞
뒤
노랑 토끼는 앞에서 넷 째, 뒤에서 넷 째
파랑 토끼 앞에는 흰 토끼 1마리, 뒤에는 흰 토끼 5마리가 있습니다.
파랑 토끼는 앞에서 둘 째, 뒤에서 여섯 째
점박이 토끼 앞에는 흰 토끼 4마리, 뒤에는 흰 토끼 2마리가 있습니다.
점박이 토끼는 앞에서 다섯 째, 뒤에서 셋 째
2주 사고력
34 Run-A 1-1
1. 9까지의 수 35

1단계 교과 사고력 잡기

정답과 풀이 p.9

1 마법사가 사물함에 선물을 숨겨 놓았습니다. 사물함의 번호를 수의 순서대로 써넣고, 물음에 답하세요.

① 마법사의 말을 완성해 보세요.

자~ 선물이 들어 있는 곳을 알려 주지.
6보다 1만큼 더 큰 수의 자리에 선물이 들어 있지.
이 수는 8보다 1만큼 더 작은 수이기도 해.

✣ 6보다 1만큼 더 큰 수는 6 바로 뒤의 수인 7입니다.
7은 8보다 1만큼 더 작은 수입니다.

② 선물이 들어 있는 사물함을 찾아보세요.

선물이 들어 있는 사물함의 번호는 7 이에요.

2 영미와 정우가 가위바위보를 하여 각각 가위와 보를 냈습니다. 두 사람이 펼친 손가락은 모두 몇 개일까요?

(7개)

✣ 가위일 때 펼친 손가락은 2개이고, 보일 때 펼친 손가락은 5개입니다.
따라서 두 사람이 펼친 손가락은 모두 7개입니다.

3 지우, 준수, 영진이는 다음과 같이 손가락을 펼쳤습니다. 손가락을 많이 펼친 순서대로 이름을 써 보세요.

(준수 , 영진 , 지우)

✣ 펼친 손가락은 지우가 3개, 준수가 5개, 영진이가 4개입니다.
따라서 손가락을 많이 펼친 순서대로 이름을 쓰면 준수, 영진, 지우입니다.

1단계 교과 사고력 잡기

정답과 풀이 p.9

4 그림을 보고 거북, 물고기, 조개의 수만큼 구슬을 묶고, 묶지 않은 구슬의 수를 써넣으세요. 그리고 거북, 물고기, 조개 중 묶지 않은 구슬의 수가 다른 것은 어느 것인지 써 보세요. (준비물 붙임딱지)

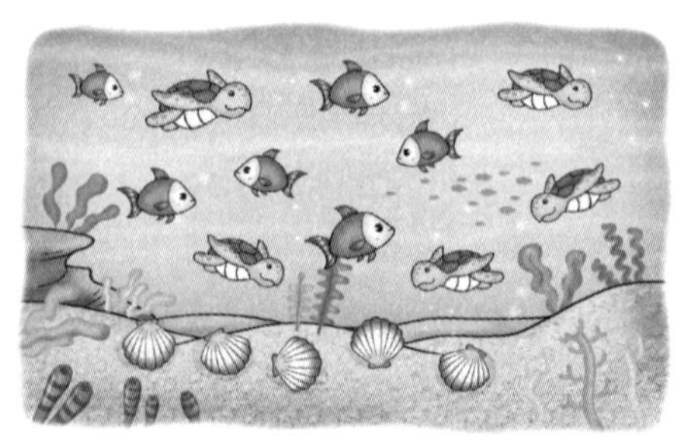

거북: ●●●●●●●●● 묶지 않은 수 4

(예) 먼저 연두색 구슬 붙임딱지 9개를 붙여 보세요.
물고기: ○○○○○○○○○ 묶지 않은 수 3

(예) 먼저 파란색 구슬 붙임딱지 9개를 붙여 보세요.
조개: ○○○○○○○○○ 묶지 않은 수 4

(물고기)

✣ 거북은 5마리이므로 묶지 않은 구슬의 수는 4입니다.
물고기는 6마리이므로 묶지 않은 구슬의 수는 3입니다.
조개는 5개이므로 묶지 않은 구슬의 수는 4입니다.
따라서 묶지 않은 구슬의 수가 다른 것은 물고기입니다.

5 다음 중에서 규칙이 다른 하나에 ○표 하세요.

①

6 → 7	3 → 4	8 → 7	1 → 2
( )	( )	(○)	( )

②

5 → 4	9 → 8	3 → 2	6 → 7
( )	( )	( )	(○)

✣ ① 6 → 7, 3 → 4, 1 → 2는 1만큼 더 커지는 규칙이고, 8 → 7은 1만큼 더 작아지는 규칙입니다.
② 5 → 4, 9 → 8, 3 → 2는 1만큼 더 작아지는 규칙이고, 6 → 7은 1만큼 더 커지는 규칙입니다.

6 바람 때문에 땅에 묶어 놓은 풍선의 실이 엉켜 있습니다. 다람쥐와 토끼의 풍선은 어떤 색깔인지 찾아 써 보세요.

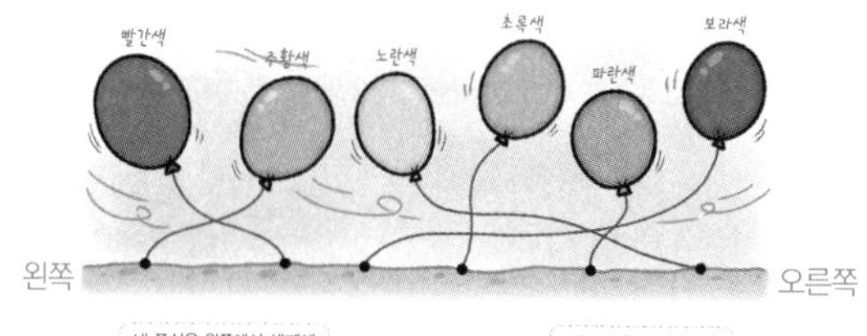

내 풍선은 왼쪽에서 셋째에 놓았는데 실이 엉켜 버렸네.

내 풍선은 오른쪽에서 다섯째에 놓았는데……

다람쥐: 보라색 토끼: 빨간색

✣ 실이 엉키기 전 풍선이 놓여 있는 순서를 알아봅니다.

〈왼쪽〉	첫째	둘째	셋째	넷째	다섯째	여섯째	
	주황색	빨간색	보라색	초록색	파란색	노란색	
	여섯째	다섯째	넷째	셋째	둘째	첫째	〈오른쪽〉

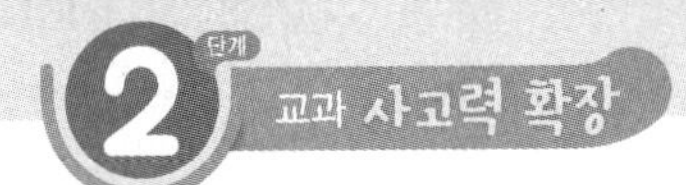

1 마법 사진기로 동물을 찍으면 일정한 규칙에 따라 수로 나타납니다. 그림을 보고 마법 사진기의 규칙을 찾아 빈 곳에 알맞은 수를 써넣으세요.

❶ 

❷ 

❸ 

✤ 동물의 다리 수만큼 □ 안에 써넣습니다.

정답과 풀이 p.10

2 엄마 토끼가 음식을 만들기 위해서는 빵, 양배추, 당근을 다음과 같은 수만큼 준비해야 합니다. 각각의 재료를 몇 개씩 더 준비해야 하는지 알아보세요.

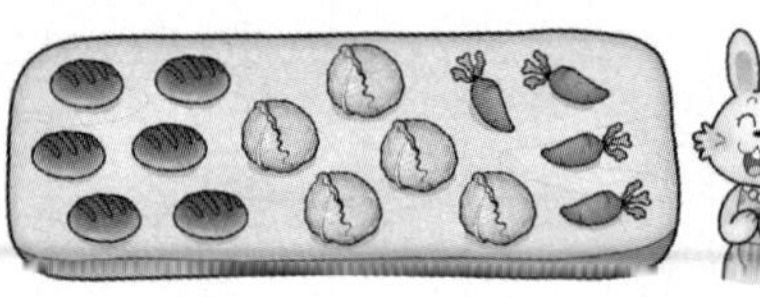

❶ 빵이 3개 있습니다. 빵을 몇 개 더 준비해야 하는지 색칠하여 구해 보세요.

예 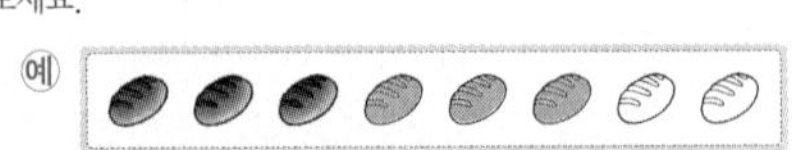

(3개)

✤ 음식을 만들려면 빵이 6개 필요한데 3개가 있으므로 빵을 3개 더 준비해야 합니다.

❷ 양배추가 1개 있습니다. 양배추를 몇 개 더 준비해야 하는지 색칠하여 구해 보세요.

예 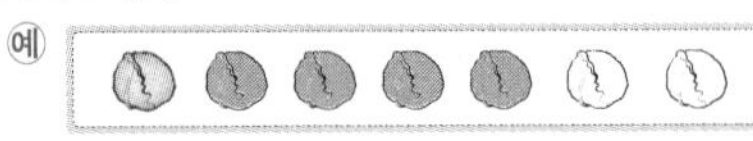

(4개)

✤ 음식을 만들려면 양배추가 5개 필요한데 1개가 있으므로 양배추를 4개 더 준비해야 합니다.

❸ 당근이 2개 있습니다. 당근을 몇 개 더 준비해야 하는지 색칠하여 구해 보세요.

예 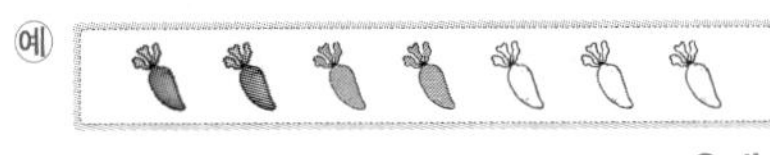

(2개)

✤ 음식을 만들려면 당근이 4개 필요한데 2개가 있으므로 당근을 2개 더 준비해야 합니다.

3 탈출 방법을 보고 비밀의 방을 탈출하려고 합니다. 어떤 문으로 나가야 하는지 찾아보세요.

탈출 방법
❶ 7보다 작은 수가 적힌 문을 찾아보세요.
❷ 5보다 크고 9보다 작은 수가 적힌 문을 찾아보세요.

❶ 문에 적혀 있는 수 중에서 7보다 작은 수를 모두 찾아 써 보세요.

(4, 5, 6)

✤ 문에 적혀 있는 수 중에서 7보다 작은 수는 4, 5, 6입니다.

❷ 위 ❶의 수 중에서 5보다 크고 9보다 작은 수를 찾아 써 보세요.

(6)

✤ 5보다 크고 9보다 작은 수는 6, 7, 8입니다.
따라서 ❶의 수 중에서 5보다 크고 9보다 작은 수는 6입니다.

❸ 어떤 수가 적힌 문으로 나가야 비밀의 방을 탈출할 수 있을까요?

(6)

정답과 풀이 p.10

4 화살표 ➡와 ➡의 규칙은 다음과 같습니다. 규칙을 보고 물음에 답하세요.

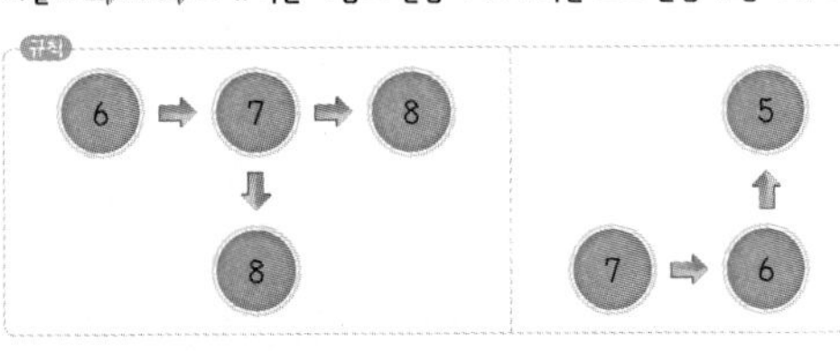

❶ ➡와 ➡의 규칙을 찾아 ○표 하세요.

➡: 1만큼 더 (큰 수, 작은 수)를 쓰는 규칙입니다. (큰 수에 ○표)
➡: 1만큼 더 (큰 수, 작은 수)를 쓰는 규칙입니다. (작은 수에 ○표)

❷ ➡와 ➡의 규칙에 따라 빈 곳에 알맞은 수를 써넣으세요.

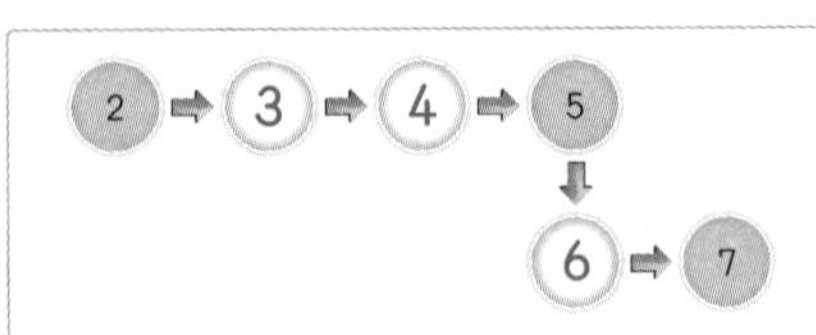

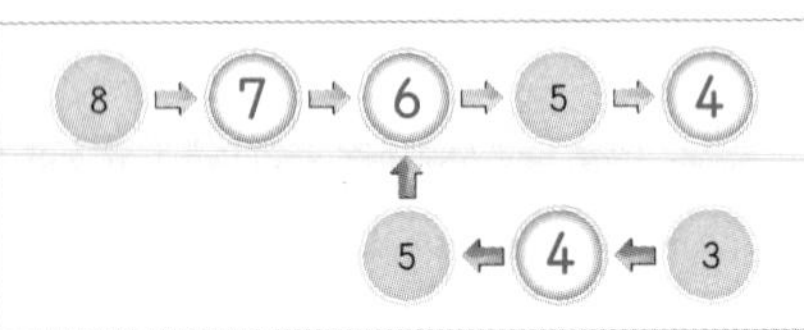

✤ 화살표 방향에 따라 ➡(빨간색 화살표)는 1만큼 더 큰 수를 쓰는 규칙이고, ➡(파란색 화살표)는 1만큼 더 작은 수를 쓰는 규칙입니다.

3단계 교과 사고력 완성

정답과 풀이 p.11

평가 영역 □개념 이해력 □개념 응용력 ☑창의력 □문제 해결력

1 다리 놓기 퍼즐은 보기와 같이 ○ 안의 수와 ○에 연결된 선의 수를 같게 만드는 퍼즐입니다. ○ 안의 수에 맞게 선을 그어 다리 놓기 퍼즐을 완성해 보세요.

보기

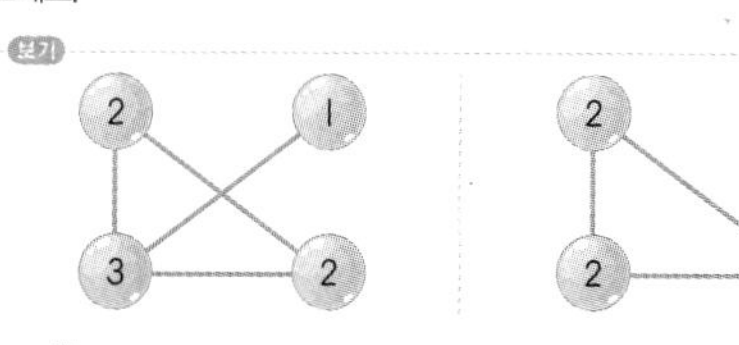

- ①에 연결된 선의 수는 1개입니다.
- ②에 연결된 선의 수는 2개입니다.
- ③에 연결된 선의 수는 3개입니다.

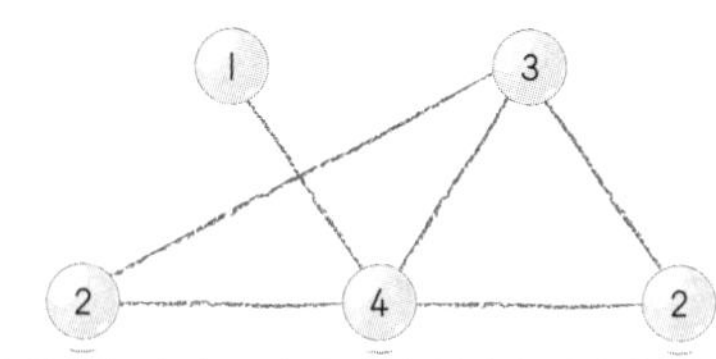

✤ 가장 큰 수는 4이고, ④ 구슬과 연결된 선이 3개이므로 남은 ③ 구슬에 선을 1개 긋습니다.
③ 구슬과 연결된 선이 3개여야 하므로 ② 구슬 2개에 각각 선을 1개씩 연결하면 수에 맞게 모든 선이 연결됩니다.

가장 큰 수가 적힌 ④부터 선을 그어 보세요.

평가 영역 □개념 이해력 □개념 응용력 ☑창의력 □문제 해결력

2 각 줄에 1, 2, 3이 한 번씩만 들어가도록 ○ 안에 알맞은 수를 써넣으세요.

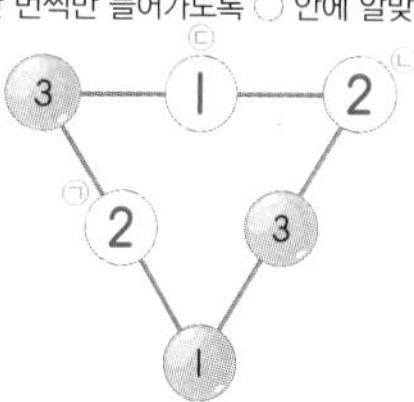

✤ ㉠의 줄에 1, 3이 있으므로 ㉠은 2입니다.
㉡의 아래로 내려가는 줄에 1, 3이 있으므로 ㉡은 2입니다.
㉢의 줄에 2, 3이 있으므로 ㉢은 1입니다.

3 각 가로줄과 세로줄에 1, 2, 3, 4가 한 번씩만 들어가도록 빈칸에 알맞은 수를 써넣으세요.

4	1	① 3	2
1	② 4	2	③ 3
3	2	④ 1	4
2	3	⑤ 4	1

✤ ①의 가로줄에 1, 2, 4가 있으므로 ①은 3입니다.
②의 세로줄에 1, 2, 3이 있으므로 ②는 4입니다.
③의 세로줄에 1, 2, 4가 있으므로 ③은 3입니다.
④의 가로줄에 2, 3, 4가 있으므로 ④는 1입니다.
⑤의 가로줄에 1, 2, 3이 있으므로 ⑤는 4입니다.

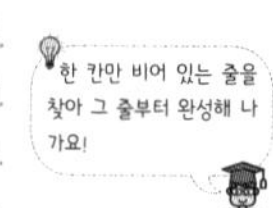

한 칸만 비어 있는 줄을 찾아 그 줄부터 완성해 나가요!

Test 종합평가 1. 9까지의 수

맞은 개수

정답과 풀이 p.11

1 수를 세어 빈 곳에 알맞은 수를 써넣으세요.

(1) 4

(2) 3

✤ (1) 가방을 세어 보면 하나, 둘, 셋, 넷이므로 4입니다.
(2) 모자를 세어 보면 하나, 둘, 셋이므로 3입니다.

2 나타내는 수가 8인 것을 찾아 ○표 하세요.

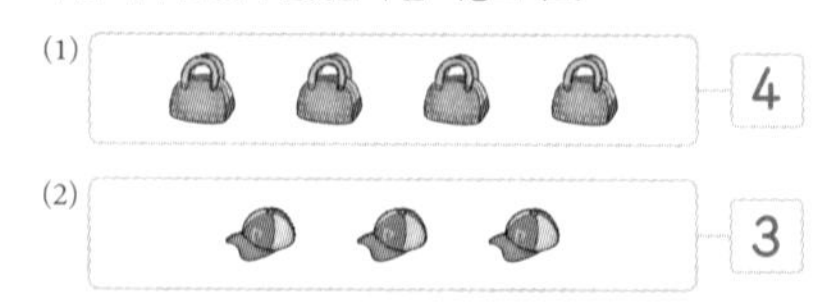

( ) (○) ( )

✤ 색연필은 7자루, 가위는 8개, 공책은 6권이므로 수가 8인 것은 가위입니다.

3 강아지의 수를 2가지 방법으로 읽어 보세요.

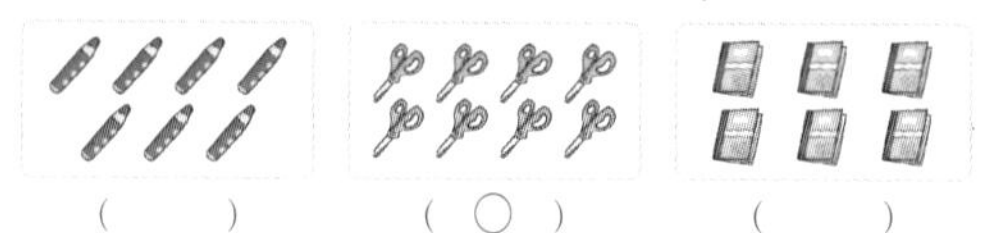

(오 , 다섯)

✤ 강아지를 세어 보면 하나, 둘, 셋, 넷, 다섯이므로 5마리입니다.
5는 오 또는 다섯이라고 읽습니다.

4 순서에 맞게 빈칸에 알맞은 수를 써넣으세요.

1 - 2 - 3 - 4 - 5 - 6 - 7 - 8 - 9

✤ 1부터 수를 순서대로 쓰면 1, 2, 3, 4, 5, 6, 7, 8, 9입니다.

5 알맞게 이어 보세요.

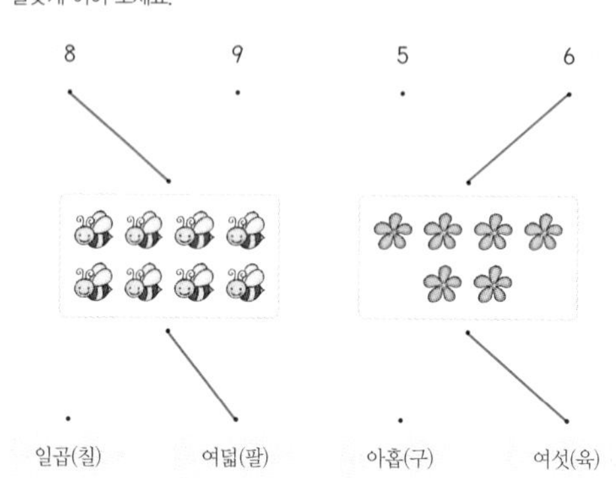

✤ • 벌의 수를 세어 보면 8이고, 8은 팔 또는 여덟이라고 읽습니다.
• 꽃의 수를 세어 보면 6이고, 6은 육 또는 여섯이라고 읽습니다.

6 왼쪽 그림의 수보다 1만큼 더 작은 수를 나타내는 것에 ○표 하세요.

(○) ( )

✤ 왼쪽 귤의 수를 세어 보면 4입니다.
4보다 1만큼 더 작은 수는 3입니다.

48쪽 ~ 49쪽

종합평가 1. 9까지의 수

정답과 풀이 p.12

7 그림을 보고 쓴 수를 바르게 고쳐 □ 안에 써넣으세요.

토끼가 5마리 있습니다.
→ 4

✤ 토끼의 수를 세어 보면 하나, 둘, 셋, 넷이므로 4마리입니다.

8 바나나는 왼쪽에서 몇째에 있는지 써 보세요.

(일곱째)

✤ 바나나는 왼쪽에서 일곱째에 있습니다.

9 빵과 아이스크림의 수를 빈 곳에 써넣고 두 수의 크기를 비교해 보세요.

7 

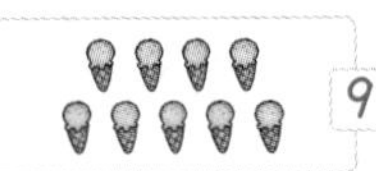 9

(1) 빵은 아이스크림보다 (많습니다 , 적습니다).

(2) 7은 9 보다 (큽니다 , 작습니다).

✤ (1) 빵은 7개, 아이스크림은 9개이므로 빵은 아이스크림보다 적습니다.
(2) 빵과 아이스크림을 하나씩 짝 지어 보면 아이스크림이 남으므로 7은 9보다 작습니다.

10 □ 안에 알맞은 수를 써넣으세요.

(1) 4보다 1만큼 더 큰 수는 5 입니다.

(2) 1보다 1만큼 더 작은 수는 0 입니다.

✤ (1) 4보다 1만큼 더 큰 수는 4 바로 다음 수인 5입니다.
(2) 1보다 1만큼 더 작은 수는 아무것도 없는 것이므로 0입니다.

11 가장 큰 수에 ○표, 가장 작은 수에 △표 하세요.

✤ 수를 순서대로 쓰면 1, 3, 6, 8입니다.
이 중 가장 큰 수는 8이고, 가장 작은 수는 1입니다.

2주 평가

12 연못 안에 백조가 3마리, 오리가 5마리 있습니다. 백조와 오리 중에서 더 적은 것은 무엇일까요?

(백조)

✤ 3이 5보다 작으므로 더 적은 것은 백조입니다.

13 정수는 연필을 4자루 가지고 있습니다. 승연이는 정수보다 연필을 1자루 더 많이 가지고 있습니다. 승연이가 가지고 있는 연필은 몇 자루일까요?

(5자루)

✤ 4보다 1만큼 더 큰 수는 5이므로 승연이가 가지고 있는 연필은 5자루입니다.

14 풀의 수보다 하나 더 적게 ○를 그리고, 빈 곳에 알맞은 수를 써넣으세요.

○○○ 3

✤ 풀의 수를 세어 보면 하나, 둘, 셋, 넷이므로 4입니다.
4보다 1만큼 더 작은 수는 4 바로 앞의 수인 3입니다.

50쪽 ~ 51쪽

종합평가 1. 9까지의 수

정답과 풀이 p.12

15 다음 중에서 규칙이 다른 하나에 ○표 하세요.

1 → 2	5 → 6	4 → 3	8 → 9
( )	( )	(○)	( )

✤ 1 → 2, 5 → 6, 8 → 9는 1만큼 더 커지는 규칙이고, 4 → 3은 1만큼 더 작아지는 규칙입니다.

16 다음 두 조건을 만족하는 수를 모두 구해 보세요.

- 3보다 크고 8보다 작은 수입니다.
- 5보다 큰 수입니다.

(6, 7)

✤ 3부터 8까지의 수를 순서대로 쓰면 3, 4, 5, 6, 7, 8이므로 3보다 크고 8보다 작은 수는 4, 5, 6, 7입니다.
4, 5, 6, 7 중에서 5보다 큰 수는 6, 7입니다.

17 자전거 자물쇠의 번호를 찾아 ㉠과 ㉡에 알맞은 수를 써넣으세요.

㉠
4
㉡
7
㉠은 5보다 1만큼 더 큰 수예요.
㉡은 3보다 1만큼 더 작은 수예요.

㉠ (6)
㉡ (2)

✤ 5보다 1만큼 더 큰 수는 6이므로 ㉠=6이고, 3보다 1만큼 더 작은 수는 2이므로 ㉡=2입니다.

특강 창의·융합 사고력

정답과 풀이 p.12

1 현악기란 줄을 이용하여 연주하는 악기입니다. 우리나라의 전통 현악기 중 거문고와 해금이 있습니다. 거문고는 여섯 개의 줄을 치거나 뜯어서 연주하는 악기이고, 해금은 두 개의 줄 사이에 활을 넣어 연주하는 악기입니다. 다음을 보고 물음에 답하세요.

㉮ 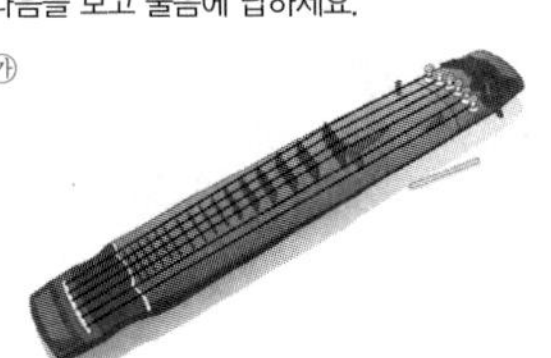

㉯ 

2주 평가

(1) ㉮와 ㉯는 각각 어떤 악기인지 써 보세요.

㉮ (거문고), ㉯ (해금)

✤ ㉮는 6개의 줄로 연주하는 거문고이고, ㉯는 2개의 줄로 연주하는 해금입니다.

(2) 거문고와 해금 중에서 어느 악기의 줄이 더 많을까요?

(거문고)

✤ 6이 2보다 크므로 거문고의 줄이 더 많습니다.

(3) 오른쪽은 아쟁이라는 악기입니다. 오른쪽 아쟁의 줄은 거문고의 줄의 수보다 1만큼 더 많습니다. 이 아쟁의 줄은 몇 개일까요?

아쟁의 줄은 7개부터 10개까지 다양해요.

(7개)

✤ 거문고의 줄의 수는 6입니다.
6보다 1만큼 더 큰 수는 7이므로 아쟁의 줄은 7개입니다.

2 여러 가지 모양

생활 주변에 있는 여러 가지 모양

우리 주변에는 여러 가지 모양의 물건들이 있습니다.
물건들을 잘 살펴보면 대부분 □ 모양, ▯ 모양, ○ 모양으로 되어 있는 것을 알 수 있습니다. 이와 같이 대부분의 물건들이 □ 모양, ▯ 모양, ○ 모양으로 만들어진 이유는 무엇일까요?

물건의 모양과 쓰임새

만약 축구공이 □ 모양으로 생겼다면 어떤 일이 생길까요?

또, 물건을 담는 상자가 ○ 모양으로 생겼다면 어떨까요?

이처럼 어떠한 물건을 만들 때에는 여러 가지 모양의 특징과 그 물건의 쓰임새를 잘 생각해야 합니다. 이번 단원에서 배우는 □ 모양, ▯ 모양, ○ 모양의 특징을 잘 알면 물건을 쓰임새에 맞게 만들어 사용할 수 있습니다.

도형의 이름을 정해 보세요.

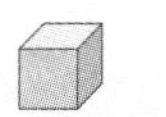  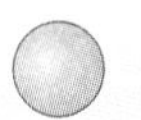

(예 상자 모양) (예 깡통 모양 또는 둥근 기둥 모양) (예 공 모양)

친구들이 생각하는 모양을 보고 교실에 있는 물건을 이어 보세요.

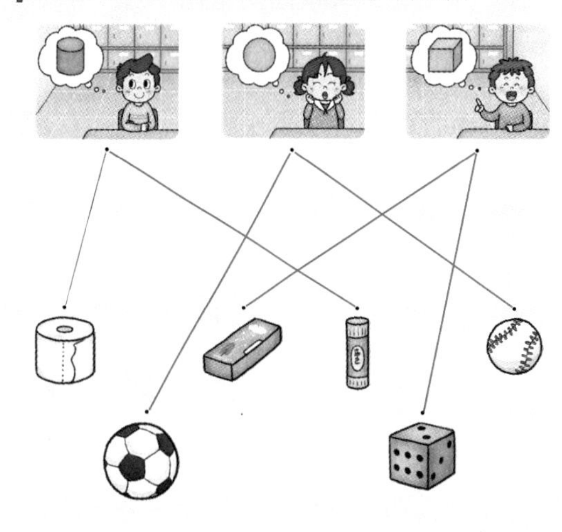

1단계 교과서 개념 잡기

개념 1 여러 가지 모양 찾아보기

• □ 모양, ▯ 모양, ○ 모양 찾아보기

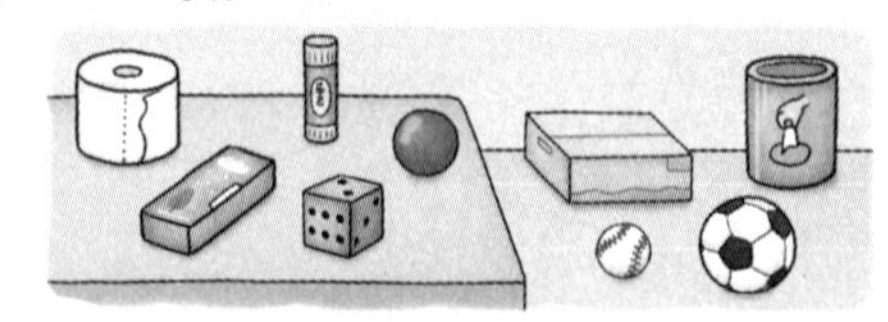

개념 Play

물건과 같은 모양을 찾아 붙임딱지를 붙여 보세요.

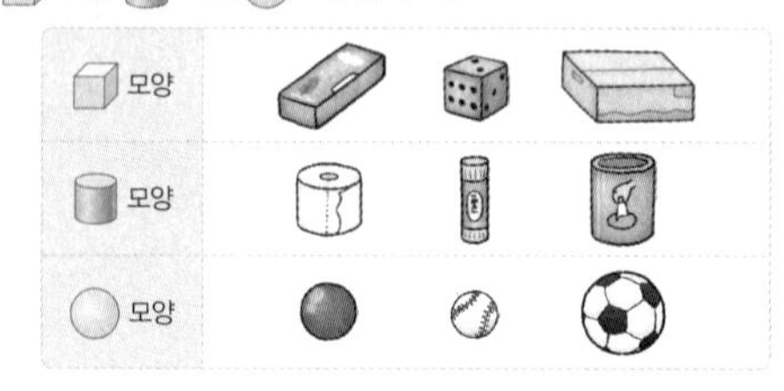

개념 확인 문제 정답과 풀이 p.13

1-1 왼쪽 모양과 같은 모양을 찾아 ○표 하세요.

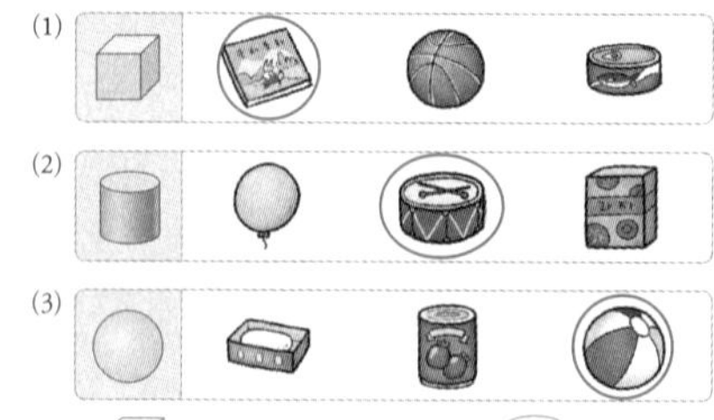

❖ (1) □ 모양은 동화책입니다. (2) ▯ 모양은 북입니다.
(3) ○ 모양은 비치볼입니다.

1-2 □ 모양에 □표, ▯ 모양에 △표, ○ 모양에 ○표 하세요.

(○) (□) (△) (□)

❖ 배구공은 ○ 모양, 냉장고와 주사위는 □ 모양, 풀은 ▯ 모양입니다.

1-3 모양이 다른 하나에 ○표 하세요.

( ) ( ) (○) ( )

❖ 보온병, 건전지, 타이어는 ▯ 모양이고, 도넛 상자는 □ 모양입니다.

3주 교과서

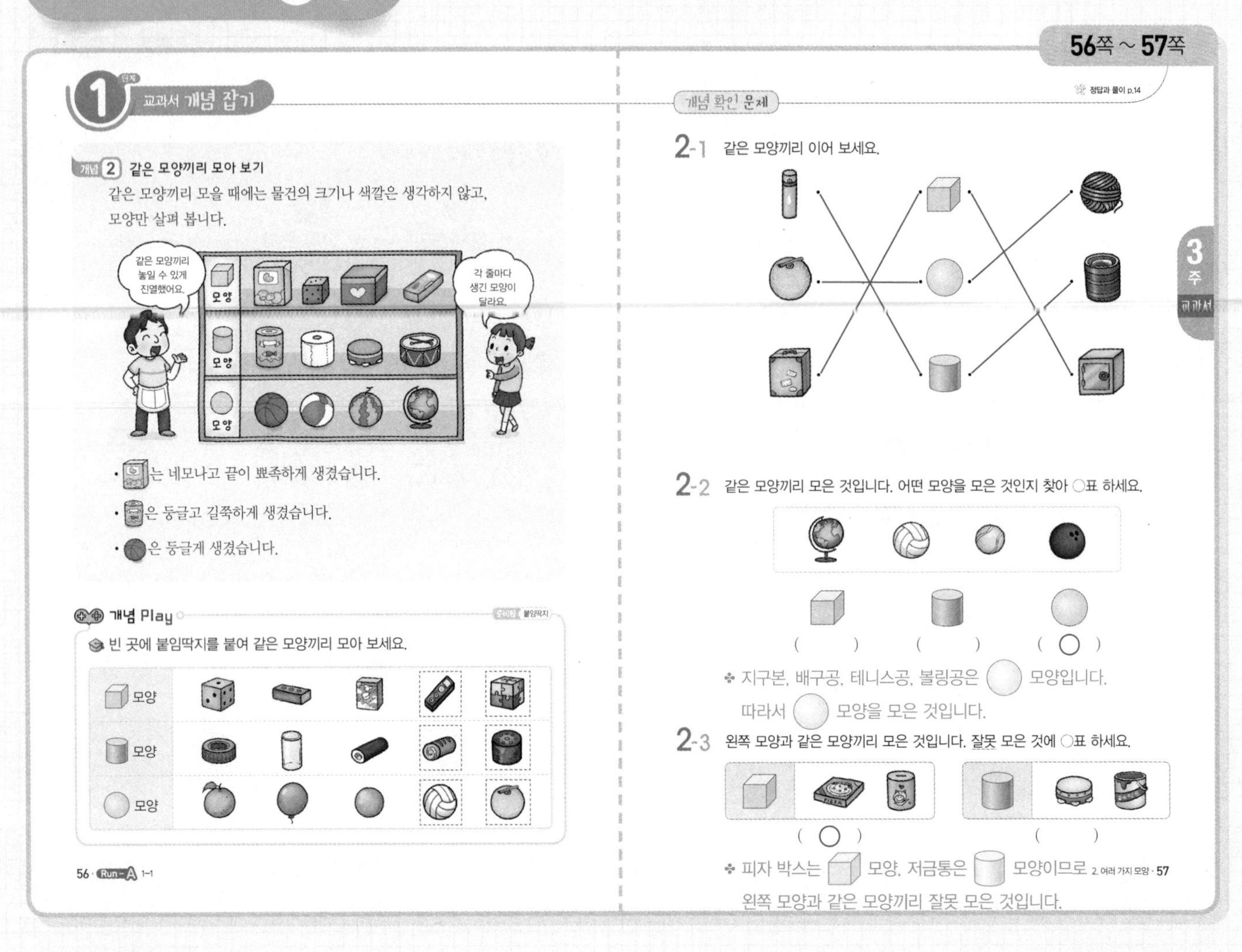

56쪽 ~ 57쪽

1단계 교과서 개념 잡기

개념 2 같은 모양끼리 모아 보기

같은 모양끼리 모을 때에는 물건의 크기나 색깔은 생각하지 않고, 모양만 살펴 봅니다.

- 는 네모나고 끝이 뾰족하게 생겼습니다.
- 은 둥글고 길쭉하게 생겼습니다.
- 은 둥글게 생겼습니다.

개념 Play

빈 곳에 붙임딱지를 붙여 같은 모양끼리 모아 보세요.

모양
모양
모양
모양

개념 확인 문제

정답과 풀이 p.14

2-1 같은 모양끼리 이어 보세요.

2-2 같은 모양끼리 모은 것입니다. 어떤 모양을 모은 것인지 찾아 ○표 하세요.

( ) ( ) (○)

✤ 지구본, 배구공, 테니스공, 볼링공은 모양입니다.
따라서 모양을 모은 것입니다.

2-3 왼쪽 모양과 같은 모양끼리 모은 것입니다. 잘못 모은 것에 ○표 하세요.

(○) ( )

✤ 피자 박스는 모양, 저금통은 모양이므로 왼쪽 모양과 같은 모양끼리 잘못 모은 것입니다.

3 주 교과서

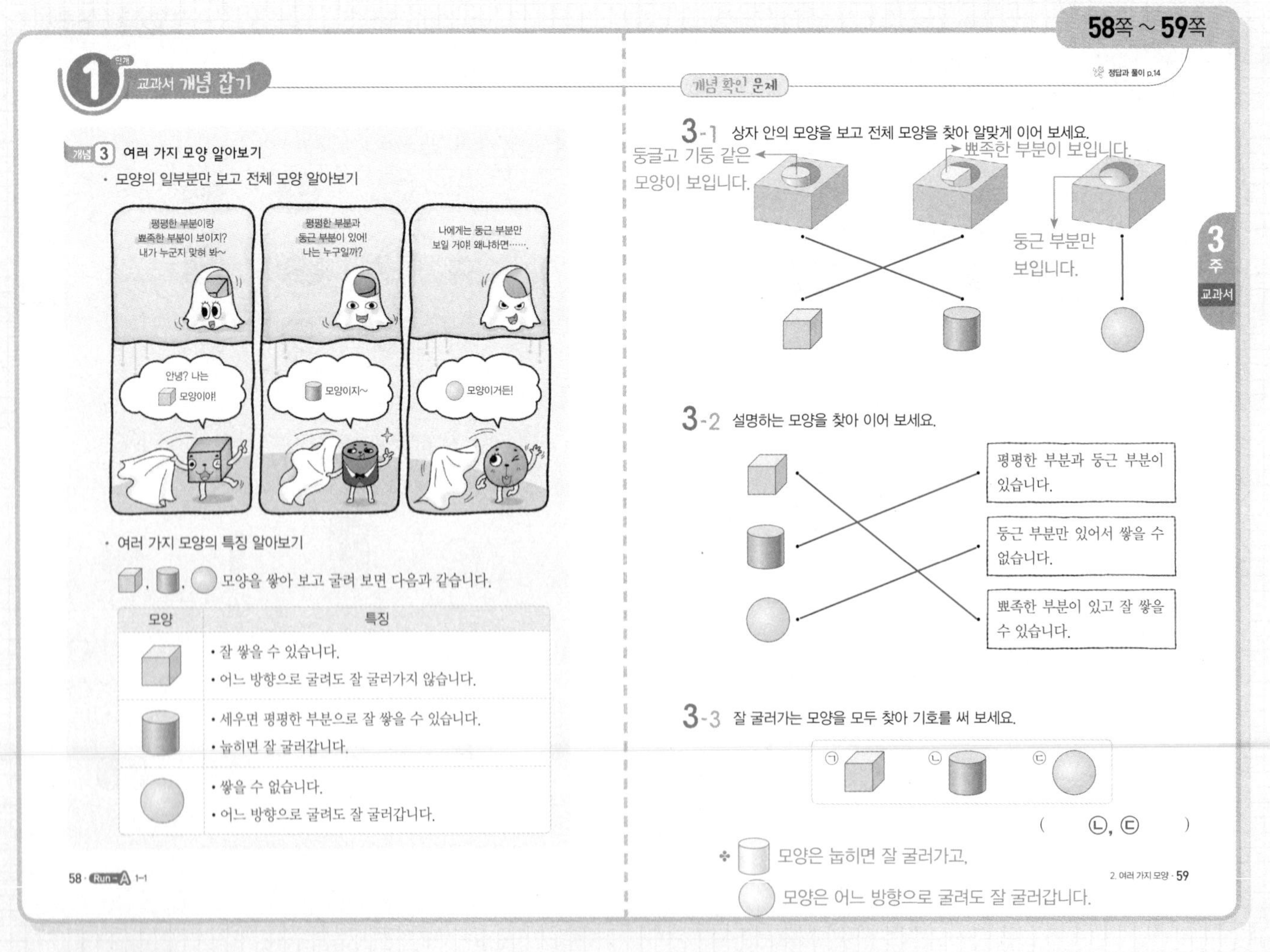

58쪽 ~ 59쪽

1단계 교과서 개념 잡기

개념 3 여러 가지 모양 알아보기

- 모양의 일부분만 보고 전체 모양 알아보기

- 여러 가지 모양의 특징 알아보기

, , 모양을 쌓아 보고 굴려 보면 다음과 같습니다.

모양	특징
	• 잘 쌓을 수 있습니다. • 어느 방향으로 굴려도 잘 굴러가지 않습니다.
	• 세우면 평평한 부분으로 잘 쌓을 수 있습니다. • 눕히면 잘 굴러갑니다.
	• 쌓을 수 없습니다. • 어느 방향으로 굴려도 잘 굴러갑니다.

개념 확인 문제

정답과 풀이 p.14

3-1 상자 안의 모양을 보고 전체 모양을 찾아 알맞게 이어 보세요.

3-2 설명하는 모양을 찾아 이어 보세요.

평평한 부분과 둥근 부분이 있습니다.

둥근 부분만 있어서 쌓을 수 없습니다.

뾰족한 부분이 있고 잘 쌓을 수 있습니다.

3-3 잘 굴러가는 모양을 모두 찾아 기호를 써 보세요.

㉠ ㉡ ㉢

(㉡, ㉢)

✤ 모양은 눕히면 잘 굴러가고, 모양은 어느 방향으로 굴려도 잘 굴러갑니다.

3 주 교과서

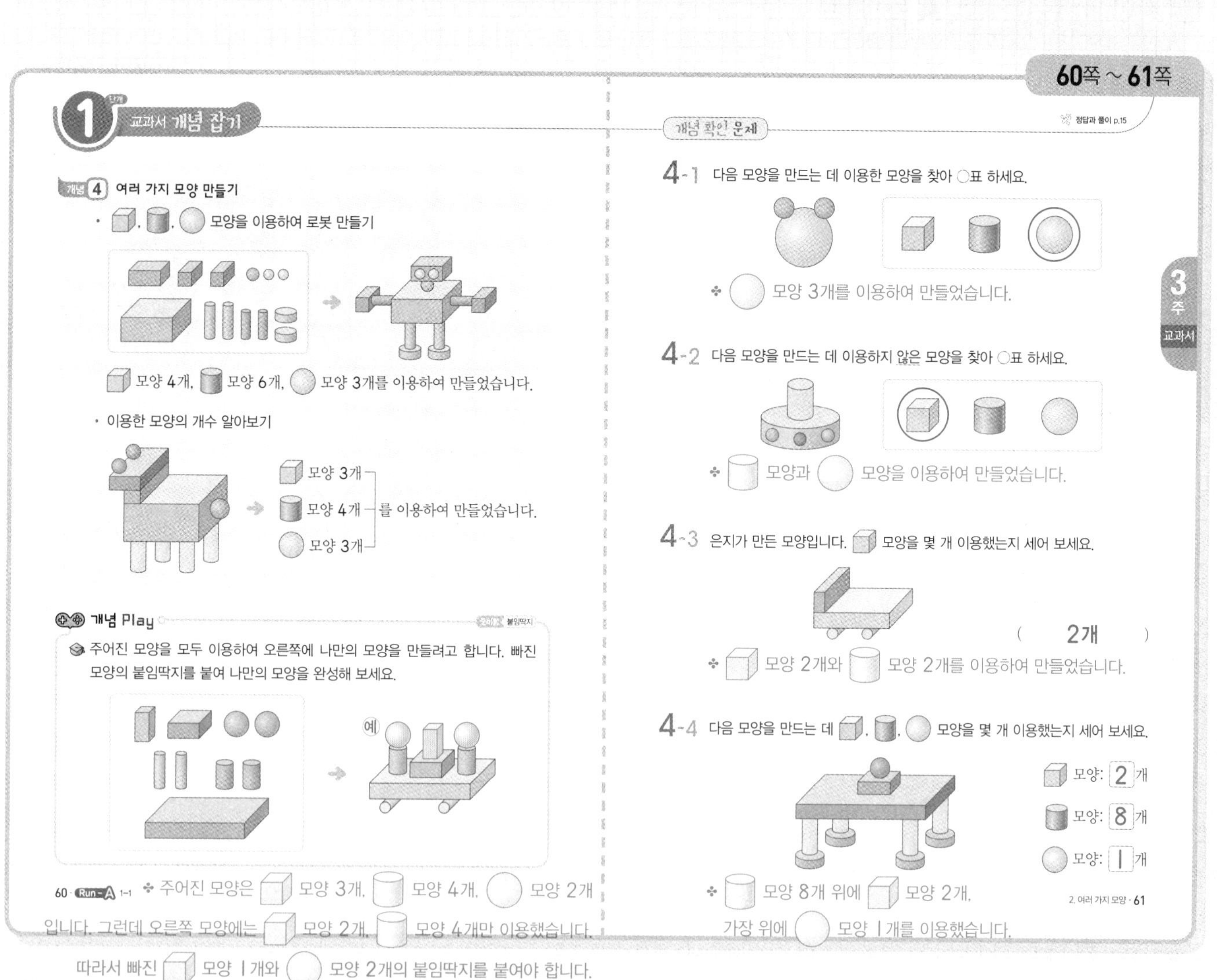

60쪽 ~ 61쪽

1단계 교과서 개념 잡기

개념 4 여러 가지 모양 만들기

- □, □, ○ 모양을 이용하여 로봇 만들기

□ 모양 4개, □ 모양 6개, ○ 모양 3개를 이용하여 만들었습니다.

- 이용한 모양의 개수 알아보기

□ 모양 3개, □ 모양 4개, ○ 모양 3개를 이용하여 만들었습니다.

개념 Play 붙임딱지

주어진 모양을 모두 이용하여 오른쪽에 나만의 모양을 만들려고 합니다. 빠진 모양의 붙임딱지를 붙여 나만의 모양을 완성해 보세요.

예

60 Run-A 1-1

❖ 주어진 모양은 □ 모양 3개, □ 모양 4개, ○ 모양 2개입니다. 그런데 오른쪽 모양에는 □ 모양 2개, □ 모양 4개만 이용했습니다. 따라서 빠진 □ 모양 1개와 ○ 모양 2개의 붙임딱지를 붙여야 합니다.

개념 확인 문제 정답과 풀이 p.15

4-1 다음 모양을 만드는 데 이용한 모양을 찾아 ○표 하세요.

❖ ○ 모양 3개를 이용하여 만들었습니다.

4-2 다음 모양을 만드는 데 이용하지 않은 모양을 찾아 ○표 하세요.

❖ □ 모양과 ○ 모양을 이용하여 만들었습니다.

4-3 은지가 만든 모양입니다. □ 모양을 몇 개 이용했는지 세어 보세요.

(2개)

❖ □ 모양 2개와 □ 모양 2개를 이용하여 만들었습니다.

4-4 다음 모양을 만드는 데 □, □, ○ 모양을 몇 개 이용했는지 세어 보세요.

□ 모양: 2 개
□ 모양: 8 개
○ 모양: 1 개

❖ □ 모양 8개 위에 □ 모양 2개, 가장 위에 ○ 모양 1개를 이용했습니다.

3주 교과서

2. 여러 가지 모양 · 61

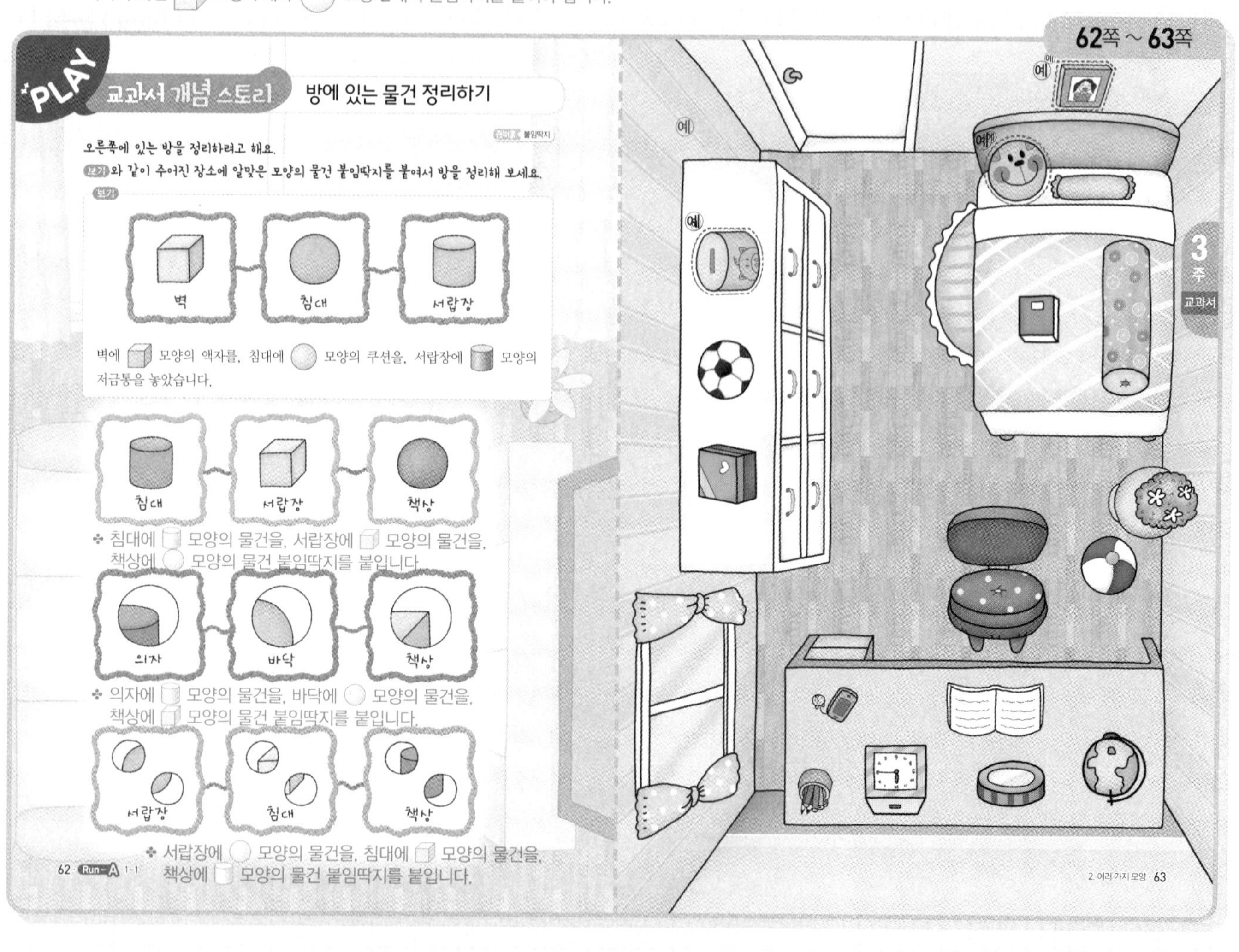

62쪽 ~ 63쪽

PLAY 교과서 개념 스토리 방에 있는 물건 정리하기

붙임딱지

오른쪽에 있는 방을 정리하려고 해요.
보기 와 같이 주어진 장소에 알맞은 모양의 물건 붙임딱지를 붙여서 방을 정리해 보세요.

보기

벽 - 침대 - 서랍장

벽에 □ 모양의 액자를, 침대에 ○ 모양의 쿠션을, 서랍장에 □ 모양의 저금통을 놓았습니다.

침대 - 서랍장 - 책상

❖ 침대에 □ 모양의 물건을, 서랍장에 □ 모양의 물건을, 책상에 ○ 모양의 물건 붙임딱지를 붙입니다.

의자 - 바닥 - 책상

❖ 의자에 □ 모양의 물건을, 바닥에 ○ 모양의 물건을, 책상에 □ 모양의 물건 붙임딱지를 붙입니다.

서랍장 - 침대 - 책상

❖ 서랍장에 ○ 모양의 물건을, 침대에 □ 모양의 물건을, 책상에 □ 모양의 물건 붙임딱지를 붙입니다.

62 Run-A 1-1

예

3주 교과서

2. 여러 가지 모양 · 63

64쪽 ~ 65쪽
PLAY 교과서 개념 스토리 전시장 꾸미기
붙임딱지
인영이는 전시장에 봉사 활동을 갔습니다.
전시 작품의 설명에 맞게 알맞은 작품을 올려야 하죠.
작품의 설명만 보고 어떻게 생긴 작품인지 알 수 있을까요?
작품 붙임딱지를 붙여 전시장을 함께 꾸며 보아요!
위로 쌓을 수 있고, 옆으로 놓으면 잘 굴러갑니다.
예
뾰족한 부분이 있고 잘 쌓을 수 있습니다.
예
평평한 부분과 둥근 부분이 있습니다.
예
모든 방향으로 잘 굴러갑니다.
작품 설명이 적혀 있는 붙임딱지를 먼저 붙이고 설명에 맞는 작품 붙임딱지를 붙입니다.
64 · Run-A 1-1
예
어느 방향으로도 잘 굴러가지 않습니다.
예
잘 굴러가지만 잘 쌓을 수 없습니다.
예
평평한 부분과 뾰족한 부분이 있습니다.
예
눕히면 잘 굴러가고 평평한 부분이 있습니다.
예
둥근 부분만 있습니다.
3주 교과서
2. 여러 가지 모양 · 65

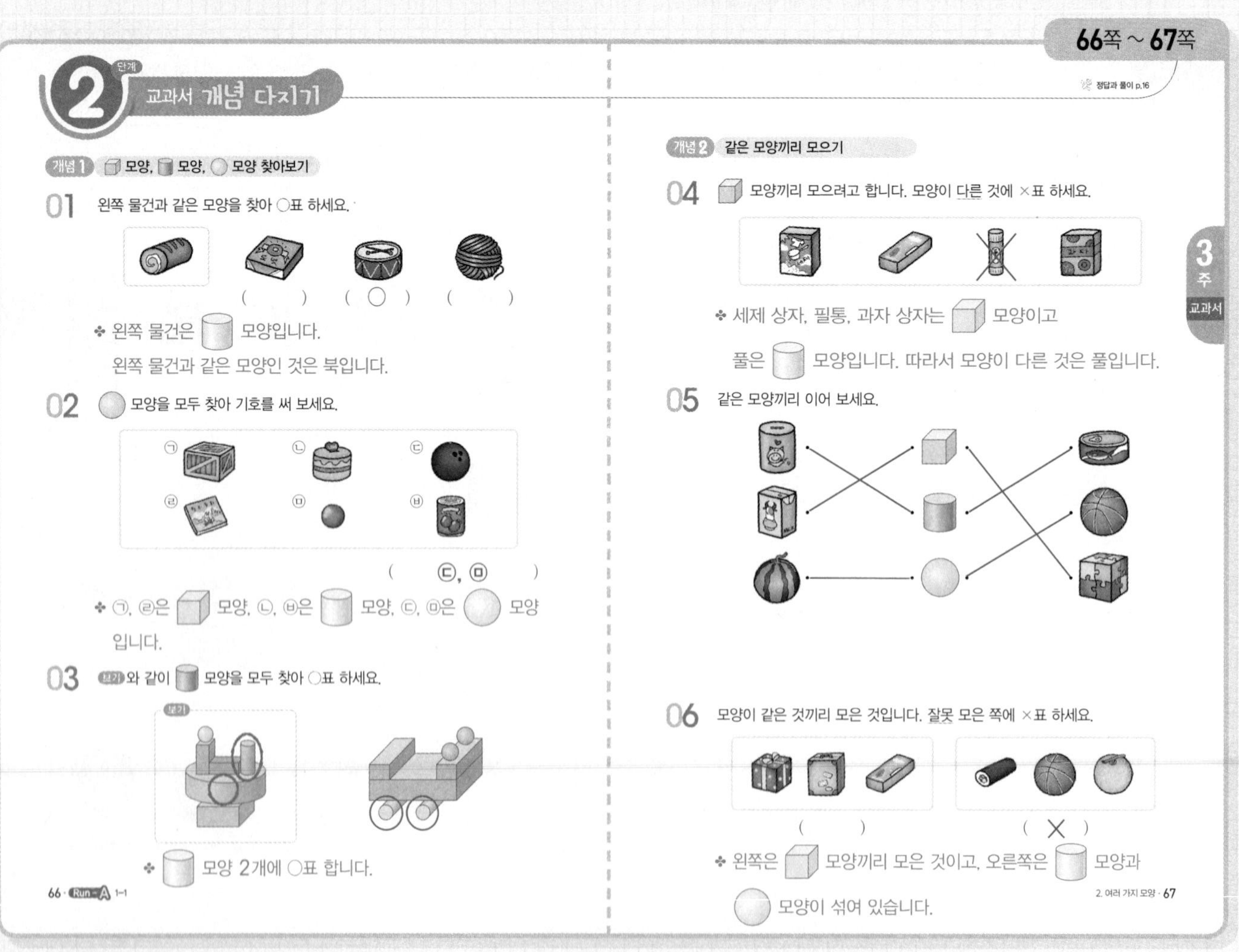
66쪽 ~ 67쪽
정답과 풀이 p.16
2단계 교과서 개념 다지기
개념 1 모양, 모양, 모양 찾아보기
01 왼쪽 물건과 같은 모양을 찾아 ○표 하세요.
( ) (○) ( )
왼쪽 물건은 모양입니다.
왼쪽 물건과 같은 모양인 것은 북입니다.
02 모양을 모두 찾아 기호를 써 보세요.
(㉢, ㉤)
㉠, ㉣은 모양, ㉡, ㉥은 모양, ㉢, ㉤은 모양입니다.
03 보기와 같이 모양을 모두 찾아 ○표 하세요.
모양 2개에 ○표 합니다.
66 · Run-A 1-1
개념 2 같은 모양끼리 모으기
04 모양끼리 모으려고 합니다. 모양이 다른 것에 ×표 하세요.
세제 상자, 필통, 과자 상자는 모양이고 풀은 모양입니다. 따라서 모양이 다른 것은 풀입니다.
05 같은 모양끼리 이어 보세요.
06 모양이 같은 것끼리 모은 것입니다. 잘못 모은 쪽에 ×표 하세요.
( ) (×)
왼쪽은 모양끼리 모은 것이고, 오른쪽은 모양과 모양이 섞여 있습니다.
3주 교과서
2. 여러 가지 모양 · 67

2단계 교과서 개념 다지기

정답과 풀이 p.17

개념 3 일부분만 보고 전체 모양 알아보기

07 어떤 물건의 일부분을 나타낸 것입니다. 알맞은 것에 ○표 하세요.

물건에 (뾰족한, 둥근) 부분이 있습니다.
따라서 (□, ▯, ○) 모양의 물건입니다.

08 모양의 일부분이 ◐와 같은 물건을 바르게 찾은 사람은 누구인지 써 보세요.

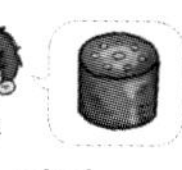

(다영)

✣ ○ 모양의 일부분입니다. ○ 모양의 물건을 찾은 사람은 다영이입니다.

09 모양의 일부분이 왼쪽 그림과 같은 물건을 모두 찾아 기호를 써 보세요.

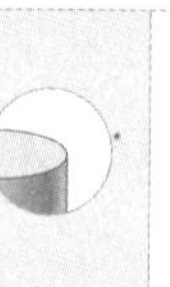

(㉡, ㉣)

✣ 왼쪽 그림은 ▯ 모양의 일부분입니다.
▯ 모양의 물건은 ㉡, ㉣입니다.

개념 4 여러 가지 모양의 특징 알아보기

10 쌓을 수 있는 물건에 모두 ○표 하세요.

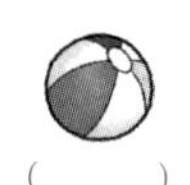

(○) ( ) (○)

✣ ○ 모양은 평평한 부분이 없기 때문에 쌓을 수 없습니다.

11 주어진 물건의 모양에 대한 설명 중 틀린 것을 찾아 기호를 써 보세요.

㉠ 모든 부분이 둥근 모양입니다.
㉡ 잘 굴러갑니다.
㉢ 평평한 부분과 둥근 부분이 있습니다.

(㉢)

✣ 축구공은 둥근 부분만 있어서 여러 방향으로 잘 굴러갑니다.

12 은지가 설명하는 모양의 물건을 주변에서 찾아 3가지만 써 보세요.

(예 책, 주사위, 지우개)

✣ 뾰족한 부분이 있고 평평한 부분이 있어 잘 쌓을 수 있는 물건을 찾아 3가지 써 봅니다.

2단계 교과서 개념 다지기

정답과 풀이 p.17

개념 5 여러 가지 모양 만들기

13 왼쪽 모양을 만드는 데 이용하지 않은 모양에 ×표 하세요.

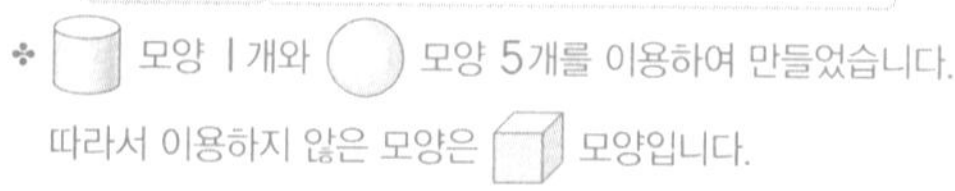

✣ ▯ 모양 1개와 ○ 모양 5개를 이용하여 만들었습니다.
따라서 이용하지 않은 모양은 □ 모양입니다.

14 다음 모양을 만드는 데 □, ▯, ○ 모양을 몇 개 이용했는지 세어 보세요.

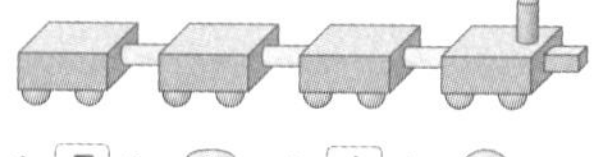

□ 모양: 5개, ▯ 모양: 4개, ○ 모양: 8개

15 왼쪽 모양을 만드는 데 가장 많이 이용한 모양에 ○표 하세요.

(□ , ▯ , ○)

✣ □ 모양: 3개, ▯ 모양: 3개, ○ 모양: 5개
따라서 가장 많이 이용한 모양은 ○ 모양입니다.

개념 6 주어진 모양을 이용하여 만들 수 있는 것 찾아보기

16 주어진 모양을 이용하여 만들 수 있는 것을 찾아 기호를 써 보세요.

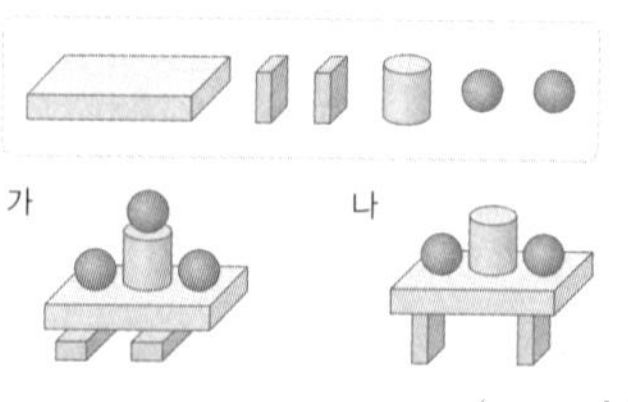

(나)

✣ 가 → □ 모양: 3개, ▯ 모양: 1개, ○ 모양: 3개
나 → □ 모양: 3개, ▯ 모양: 1개, ○ 모양: 2개
주어진 모양을 이용하여 만들 수 있는 것은 나입니다.

17 주어진 모양을 이용하여 만들 수 있는 것을 찾아 이어 보세요.

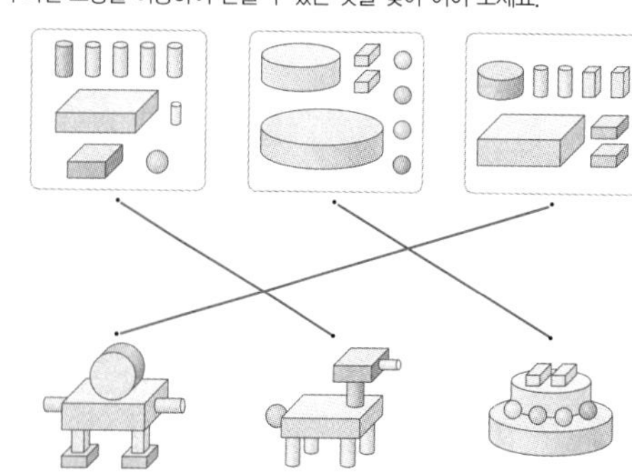

3단계 교과서 실력 다지기

★ 같은 모양끼리 모으기

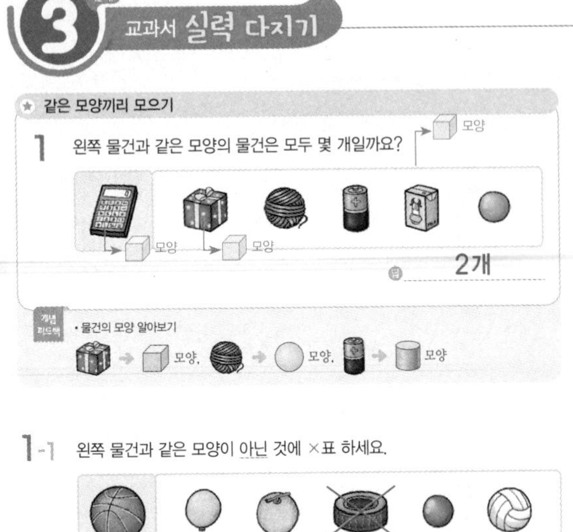
1 왼쪽 물건과 같은 모양의 물건은 모두 몇 개일까요?

개념 피드백 • 물건의 모양 알아보기
→ 모양, → 모양, → 모양

1-1 왼쪽 물건과 같은 모양이 아닌 것에 ×표 하세요.

✤ 농구공은 ◯ 모양입니다. ◯ 모양이 아닌 물건은 타이어입니다.

1-2 모양이 같은 것끼리 모은 것에 ○표 하세요.

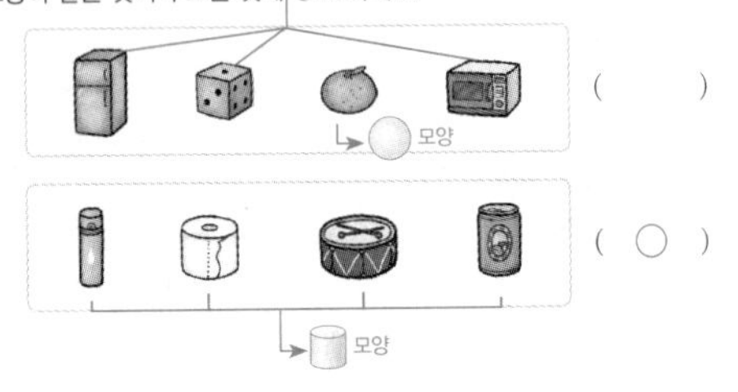

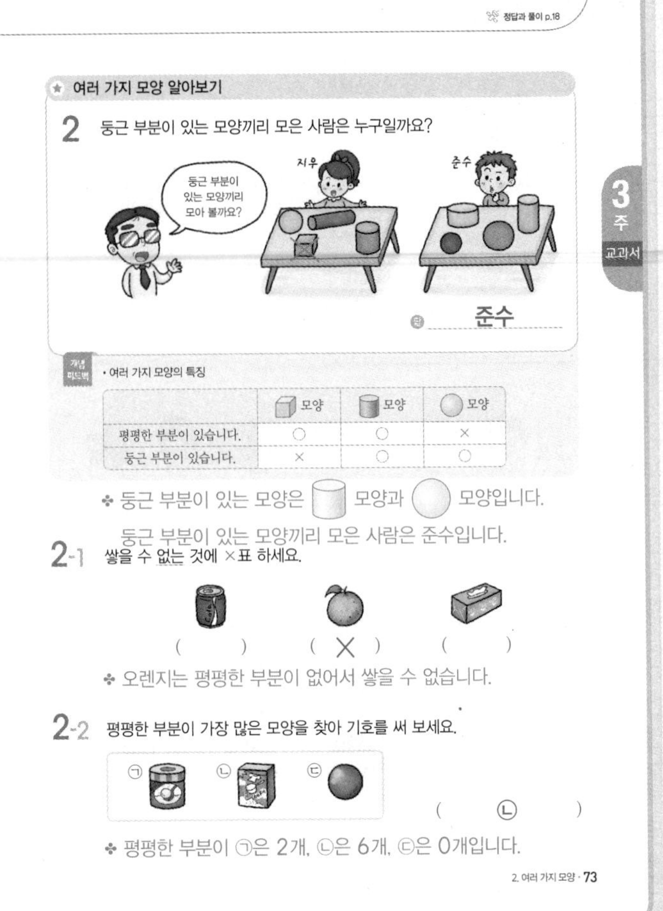

★ 여러 가지 모양 알아보기

2 둥근 부분이 있는 모양끼리 모은 사람은 누구일까요?

개념 피드백 • 여러 가지 모양의 특징

	모양	모양	모양
평평한 부분이 있습니다.	○	○	×
둥근 부분이 있습니다.	×	○	○

✤ 둥근 부분이 있는 모양은 모양과 ◯ 모양입니다.
둥근 부분이 있는 모양끼리 모은 사람은 준수입니다.

2-1 쌓을 수 없는 것에 ×표 하세요.

( ) (×) ( )

✤ 오렌지는 평평한 부분이 없어서 쌓을 수 없습니다.

2-2 평평한 부분이 가장 많은 모양을 찾아 기호를 써 보세요.

㉠ ㉡ ㉢

(㉡)

✤ 평평한 부분이 ㉠은 2개, ㉡은 6개, ㉢은 0개입니다.

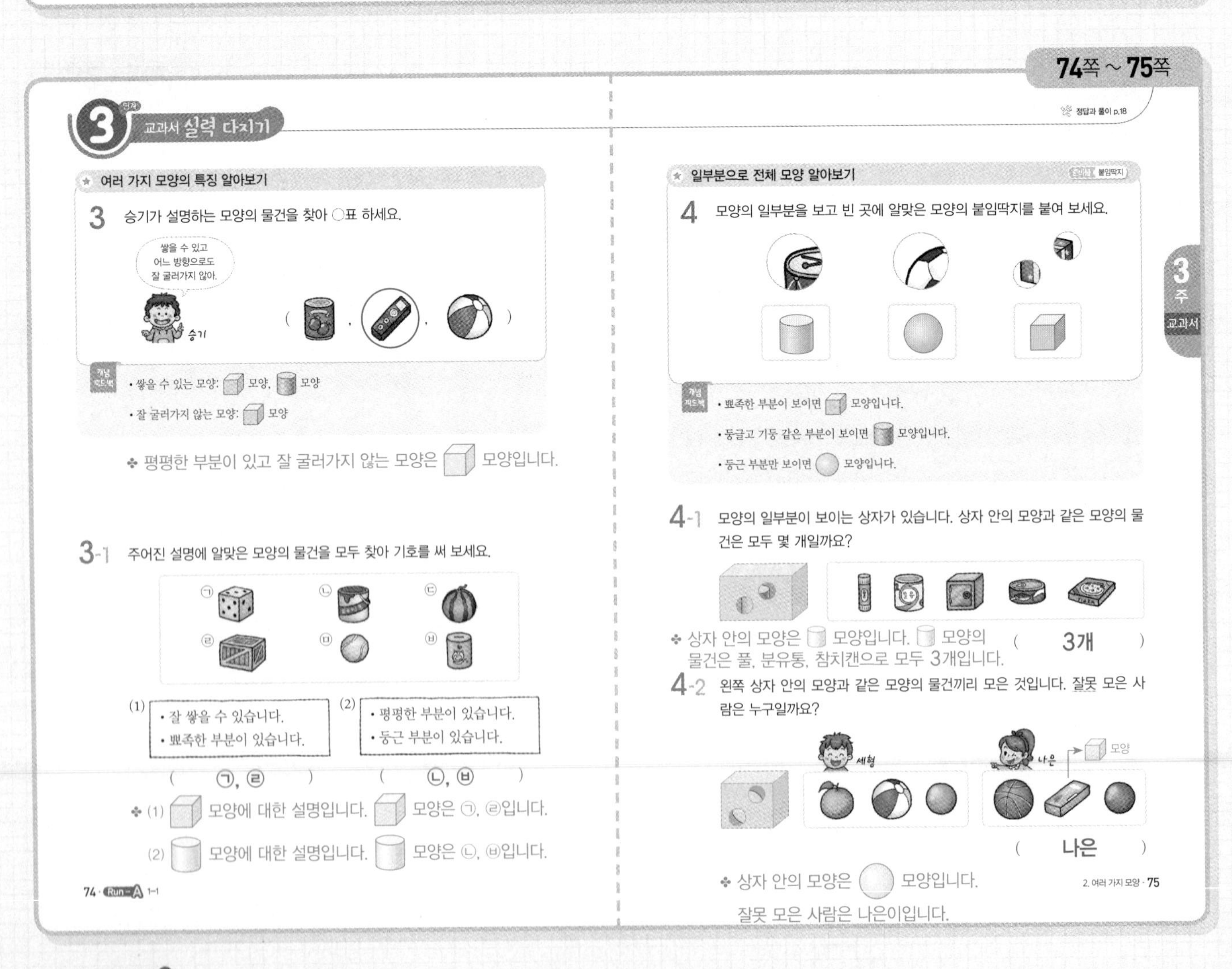

정답과 풀이 p.18

3단계 교과서 실력 다지기

★ 여러 가지 모양의 특징 알아보기

3 승기가 설명하는 모양의 물건을 찾아 ○표 하세요.

쌓을 수 있고 어느 방향으로도 잘 굴러가지 않아.
승기

(, ◯,)

개념 피드백
• 쌓을 수 있는 모양: 모양, 모양
• 잘 굴러가지 않는 모양: 모양

✤ 평평한 부분이 있고 잘 굴러가지 않는 모양은 모양입니다.

3-1 주어진 설명에 알맞은 모양의 물건을 모두 찾아 기호를 써 보세요.

㉠ ㉡ ㉢ ㉣ ㉤ ㉥

(1) • 잘 쌓을 수 있습니다.
• 뾰족한 부분이 있습니다.

(㉠, ㉣)

(2) • 평평한 부분이 있습니다.
• 둥근 부분이 있습니다.

(㉡, ㉥)

✤ (1) 모양에 대한 설명입니다. 모양은 ㉠, ㉣입니다.
(2) 모양에 대한 설명입니다. 모양은 ㉡, ㉥입니다.

★ 일부분으로 전체 모양 알아보기 (붙임딱지)

4 모양의 일부분을 보고 빈 곳에 알맞은 모양의 붙임딱지를 붙여 보세요.

개념 피드백
• 뾰족한 부분이 보이면 모양입니다.
• 둥글고 기둥 같은 부분이 보이면 모양입니다.
• 둥근 부분만 보이면 ◯ 모양입니다.

4-1 모양의 일부분이 보이는 상자가 있습니다. 상자 안의 모양과 같은 모양의 물건은 모두 몇 개일까요?

(3개)

✤ 상자 안의 모양은 모양입니다. 모양의 물건은 풀, 분유통, 참치캔으로 모두 3개입니다.

4-2 왼쪽 상자 안의 모양과 같은 모양의 물건끼리 모은 것입니다. 잘못 모은 사람은 누구일까요?

(나은)

✤ 상자 안의 모양은 ◯ 모양입니다.
잘못 모은 사람은 나은이입니다.

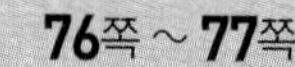

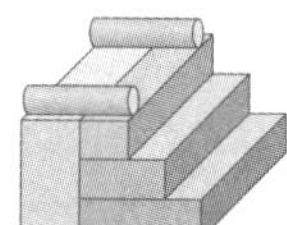

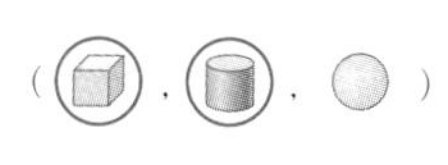

정답과 풀이 p.19

3단계 교과서 실력 다지기

★ 여러 가지 모양 만들어 보기

5 다음 모양을 만드는 데 이용한 모양을 모두 찾아 ○표 하세요.

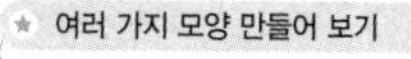

(ⓞ, ⓞ, ○)

개념 피드백 • 이용한 모양 알아보기

모양, 모양, 모양을 각각 몇 개 이용했는지 세어 봅니다.

✣ 모양 4개, 모양 2개를 이용했습니다.

5-1 다음 모양을 만드는 데 , , 모양을 몇 개 이용했는지 세어 보세요.

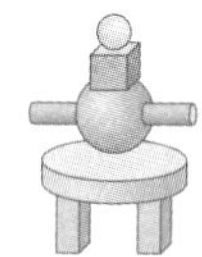

모양: 3개

모양: 3개

모양: 2개

5-2 오른쪽 모양을 만드는 데 가장 많이 이용한 모양에 ○표 하고, 그 모양은 몇 개 이용했는지 세어 보세요.

가장 많이 이용한 모양은 (ⓞ, ,)이고 6개 이용했습니다.

✣ 모양 6개, 모양 5개, 모양 4개를 이용하여 만든 모양입니다.

★ 처음에 가지고 있던 모양의 수 알아보기

6 가지고 있던 모양을 이용하여 다음 모양을 만들었더니 모양이 2개 남았습니다. 처음에 가지고 있던 모양은 몇 개일까요?

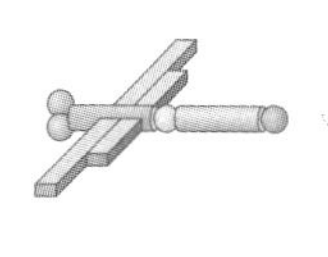

이용한 모양의 수와 남은 모양의 수를 알면 처음에 가지고 있던 모양의 수를 구할 수 있습니다.

답 4개

✣ 모양을 만드는 데 이용한 모양은 2개이고 만들고 남은 모양도 2개입니다. 2보다 1만큼 더 큰 수는 3, 3보다 1만큼 더 큰 수는 4이므로 처음에 가지고 있던 모양은 4개입니다.

6-1 리원이가 가지고 있던 모양을 모두 이용하여 오른쪽 모양을 만들었습니다. 처음에 가지고 있던 모양은 몇 개일까요?

(5개)

✣ 모양을 만드는 데 이용한 모양은 5개입니다. 가지고 있던 모양을 모두 이용하여 만든 것이므로 리원이가 처음에 가지고 있던 모양은 5개입니다.

6-2 준영이가 가지고 있던 모양을 이용하여 오른쪽 모양을 만들었더니 모양이 1개 남았습니다. 준영이가 처음에 가지고 있던 모양은 몇 개일까요?

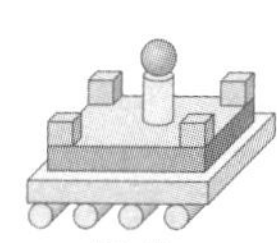

(7개)

✣ 모양을 만드는 데 이용한 모양은 6개입니다. 모양이 1개 남았으므로 준영이가 처음에 가지고 있던 모양은 7개입니다.

정답과 풀이 p.19

Test 교과서 서술형 연습

1 오른쪽 모양을 만드는 데 왼쪽과 같은 모양을 몇 개 이용했는지 세어 보세요.

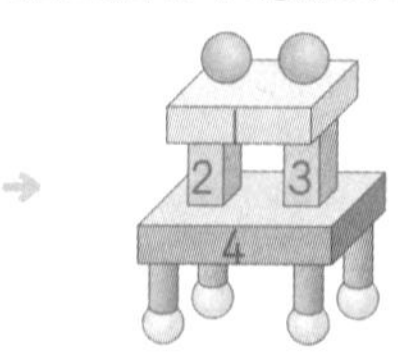

확인하기 왼쪽은 (ⓞ, ,)모양의 일부분입니다.

오른쪽 모양을 만드는 데 왼쪽과 같은 모양을 4개 이용했습니다.

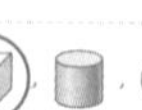

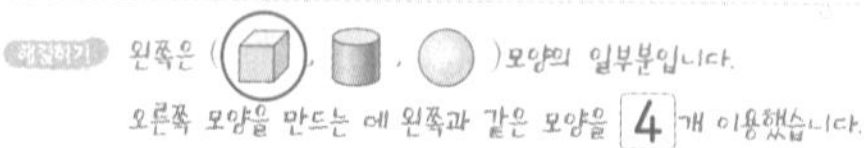

답 구하기 4개

2 오른쪽 모양을 만드는 데 왼쪽과 같은 모양을 몇 개 이용했는지 세어 보세요.

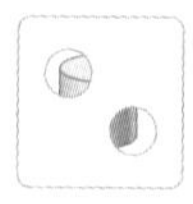

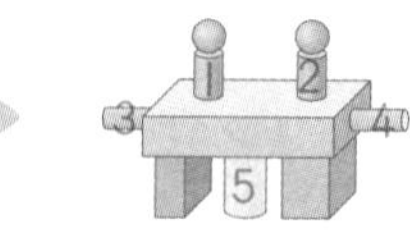

확인하기 예 왼쪽은 모양의 일부분입니다.

오른쪽 모양을 만드는 데 모양을 5개 이용했습니다.

답 구하기 5개

3 은지와 세형이가 만든 모양입니다. 은지는 세형이보다 모양을 몇 개 더 많이 이용했는지 구해 보세요.

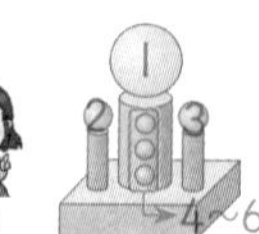

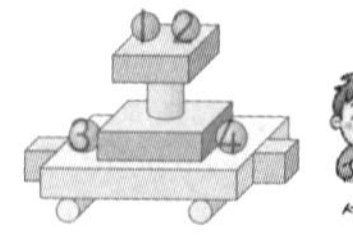

확인하기 모양을 은지는 6개, 세형이는 4개 이용했습니다.

따라서 은지는 세형이보다 모양을 2개 더 많이 이용했습니다.

답 구하기 2개

4 영진이와 다영이가 만든 모양입니다. 영진이는 다영이보다 모양을 몇 개 더 많이 이용했는지 구해 보세요.

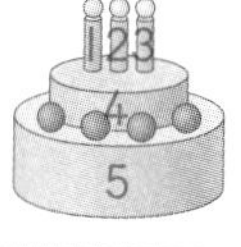

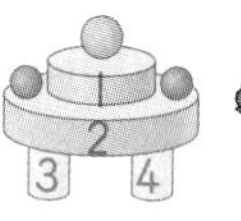

확인하기 예 영진이는 모양을 5개, 다영이는 4개 이용했습니다. 따라서 영진이는 다영이보다 모양을 1개 더 많이 이용했습니다.

답 구하기 1개

80쪽 ~ 81쪽

82쪽 ~ 83쪽

1 단계 교과 사고력 잡기

정답과 풀이 p.21

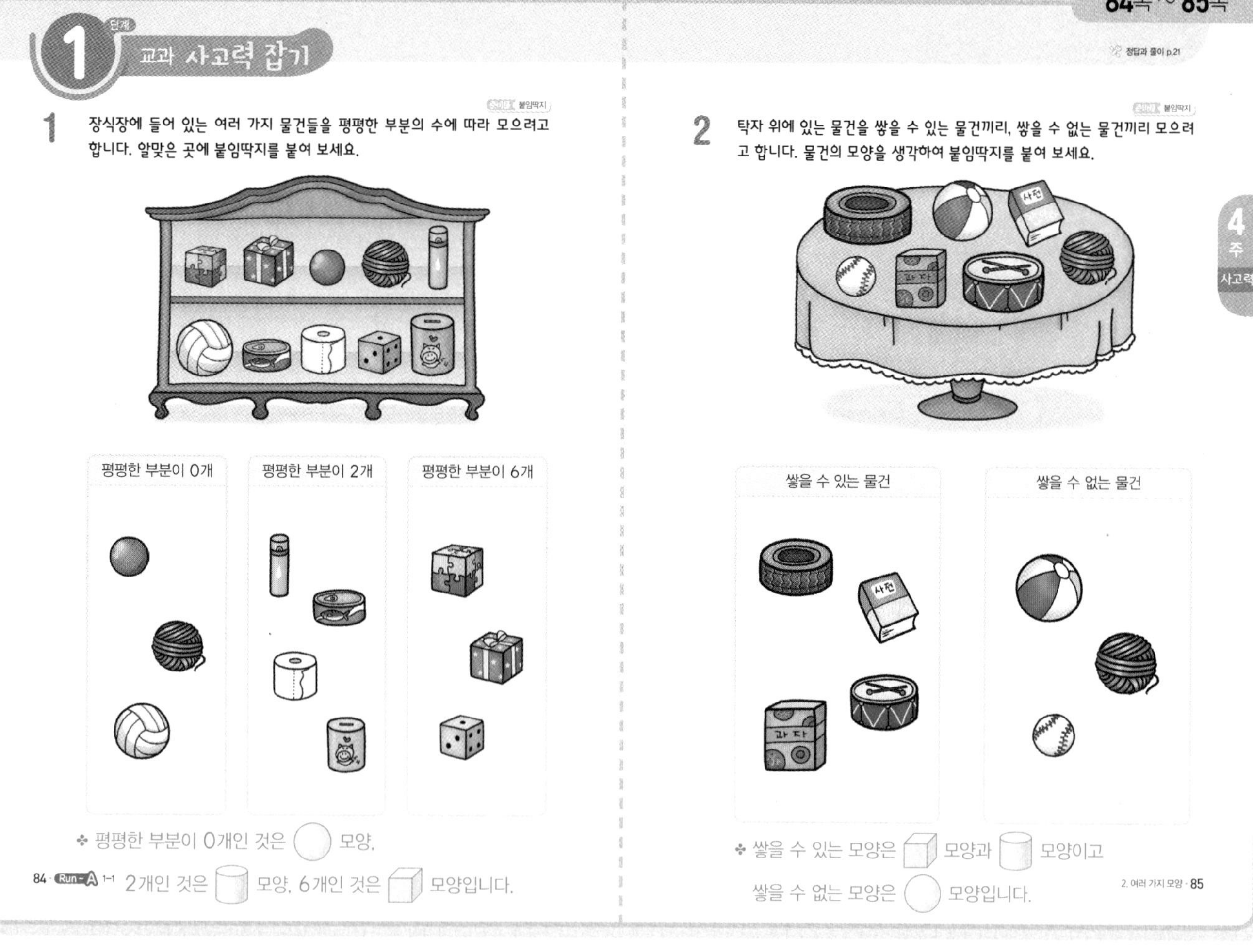

1 장식장에 들어 있는 여러 가지 물건들을 평평한 부분의 수에 따라 모으려고 합니다. 알맞은 곳에 붙임딱지를 붙여 보세요.

✤ 평평한 부분이 0개인 것은 ◯ 모양, 2개인 것은 ▯ 모양, 6개인 것은 ▢ 모양입니다.

2 탁자 위에 있는 물건을 쌓을 수 있는 물건끼리, 쌓을 수 없는 물건끼리 모으려고 합니다. 물건의 모양을 생각하여 붙임딱지를 붙여 보세요.

✤ 쌓을 수 있는 모양은 ▢ 모양과 ▯ 모양이고 쌓을 수 없는 모양은 ◯ 모양입니다.

1 단계 교과 사고력 잡기

정답과 풀이 p.21

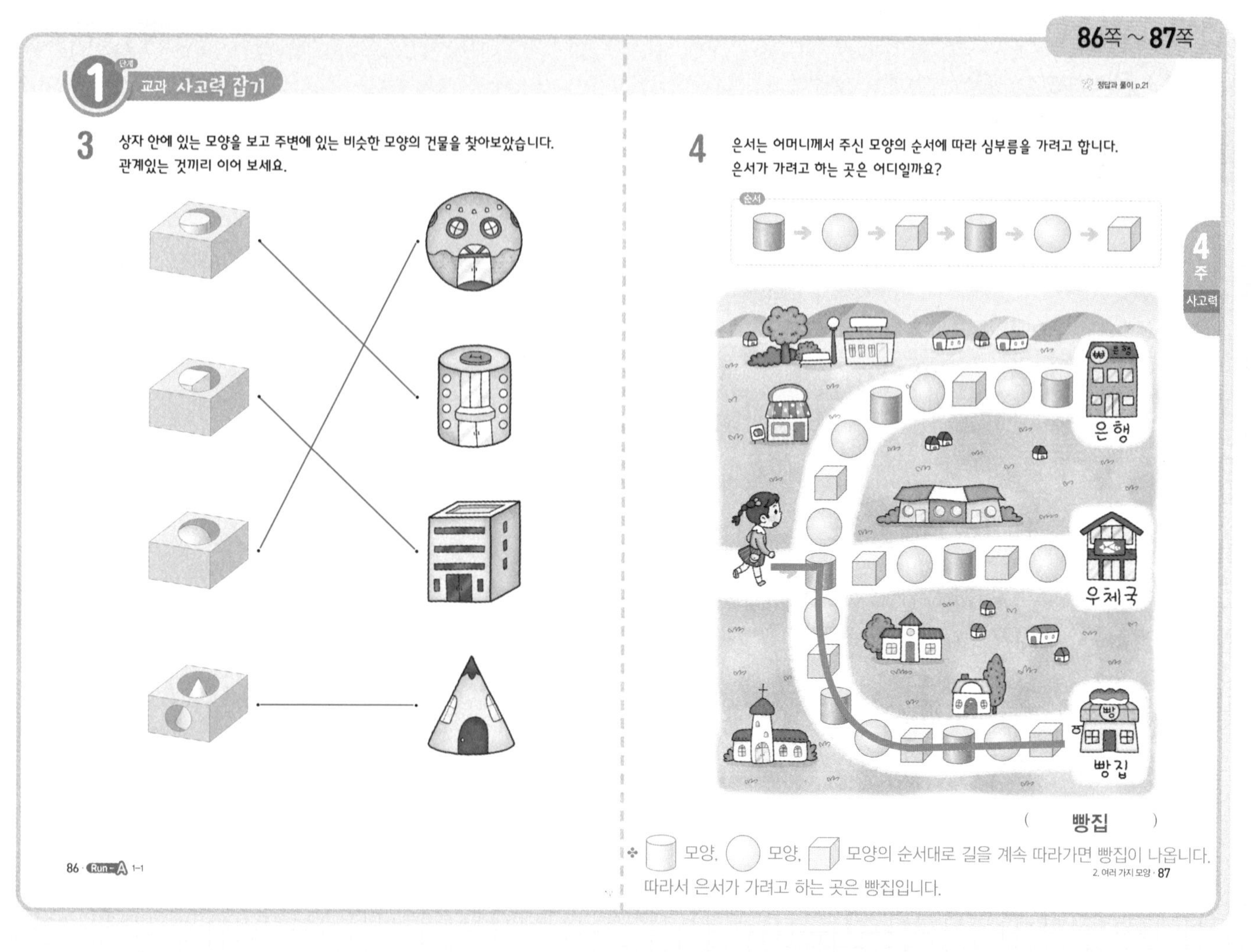

3 상자 안에 있는 모양을 보고 주변에 있는 비슷한 모양의 건물을 찾아보았습니다. 관계있는 것끼리 이어 보세요.

4 은서는 어머니께서 주신 모양의 순서에 따라 심부름을 가려고 합니다. 은서가 가려고 하는 곳은 어디일까요?

(빵집)

✤ ▯ 모양, ◯ 모양, ▢ 모양의 순서대로 길을 계속 따라가면 빵집이 나옵니다. 따라서 은서가 가려고 하는 곳은 빵집입니다.

정답과 풀이 p.22

1 지훈이는 바닷가 모래 위에 다음과 같은 모양의 자국을 남기려고 합니다. 어떤 모양의 물건을 가지고 가야 하는지 골라 보세요.

① 위 그림과 같은 자국이 나올 수 있는 모양에 ○표 하세요.

✤ 평평한 □ 모양의 자국이 생기는 모양은 □ 모양입니다.

② 지훈이가 가지고 가야 하는 물건을 찾아 기호를 써 보세요.

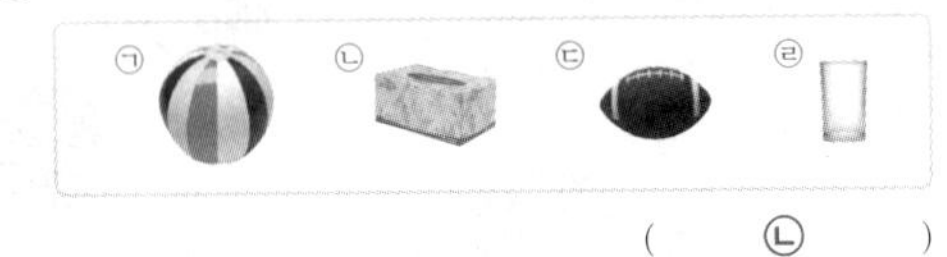

(㉡)

✤ □ 모양의 물건을 찾으면 ㉡이므로 지훈이가 가지고 가야 하는 물건은 ㉡입니다.

2 다음은 현주와 보경이가 □, □, ○ 모양을 이용하여 만든 모양입니다. □ 모양을 더 많이 이용한 친구는 누구인지 알아보세요.

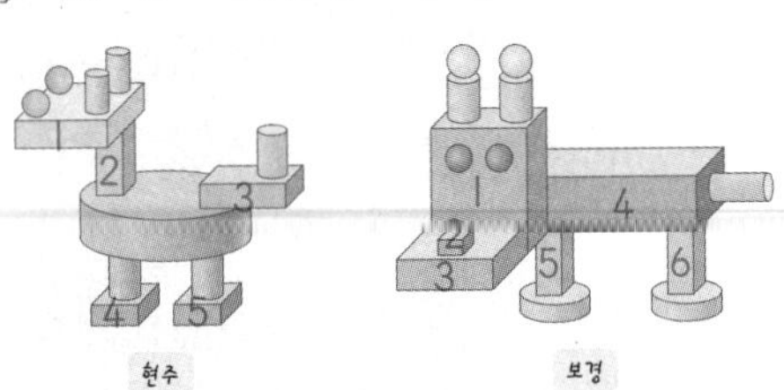
현주
보경

① 현주는 □ 모양을 몇 개 이용했을까요?

(5개)

✤ 현주가 이용한 □ 모양을 세어 보면 5개입니다.

② 보경이는 □ 모양을 몇 개 이용했을까요?

(6개)

✤ 보경이가 이용한 □ 모양을 세어 보면 6개입니다.

③ □ 모양을 더 많이 이용한 친구는 누구일까요?

(보경)

✤ 5개와 6개 중 6개가 더 많으므로 □ 모양을 더 많이 이용한 친구는 보경이입니다.

4주 사고력

2단계 교과 사고력 확장

정답과 풀이 p.22

붙임딱지

3 오른쪽 그림과 같은 모양을 2개 만들려고 합니다. 만드는 데 필요한 □, □, ○ 모양은 몇 개인지 붙임딱지를 붙여 알아보세요.

① 위의 모양 한 개를 만드는 데 필요한 □, □, ○ 모양의 수만큼 붙임딱지를 붙여 보세요.

□ 모양	□ 모양	○ 모양
□□□	□□	○○

✤ 위의 모양 한 개를 만드는 데 □ 모양 3개, □ 모양 2개, ○ 모양 2개가 필요합니다.

② 위의 모양 2개를 만드는 데 필요한 □, □, ○ 모양의 수만큼 붙임딱지를 붙이고 세어 보세요.

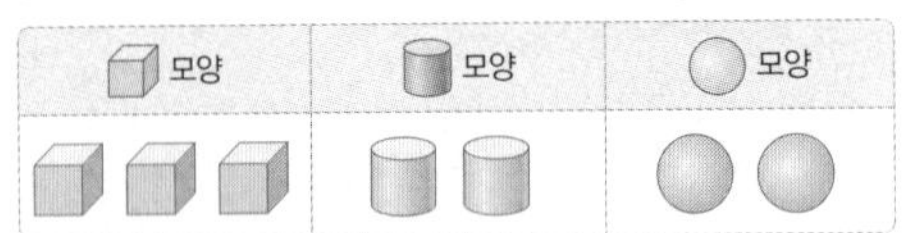

□ 모양	□ 모양	○ 모양
□□□ □□□	□□ □□	○○ ○○

□ 모양: 6개, □ 모양: 4개, ○ 모양: 4개

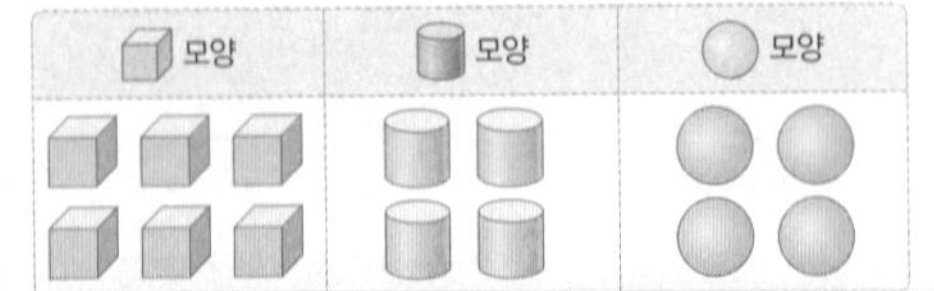

✤ 위의 모양 한 개를 만드는 데 필요한 수만큼을 2번 붙입니다.

붙임딱지

4 영진이는 가지고 있던 모양을 이용하여 오른쪽과 같이 탱크를 만들었습니다. 영진이가 탱크를 만들고 남은 □, □, ○ 모양으로 모빌을 완성해 보세요.

□ 모양 5개, □ 모양 5개,
○ 모양 5개를 가지고 있었어.
영진

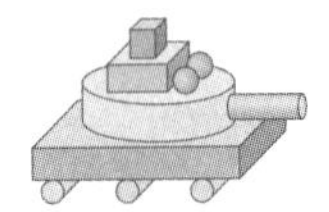

① 탱크를 만드는 데 □, □, ○ 모양을 몇 개 이용했는지 세어 보세요.

□ 모양: 3개, □ 모양: 5개, ○ 모양: 2개

② 탱크를 만들고 남은 □, □, ○ 모양은 몇 개인지 구해 보세요.

□ 모양: 2개, □ 모양: 0개, ○ 모양: 3개

✤ □ 모양: 5개 중에서 3개를 이용했으므로 2개가 남습니다.
□ 모양: 5개를 모두 이용했으므로 남는 것이 없습니다.
○ 모양: 5개 중에서 2개를 이용했으므로 3개가 남습니다.

③ 영진이가 탱크를 만들고 남은 모양을 이용하여 모빌을 만들려고 합니다. 붙임딱지를 붙여 모빌을 완성해 보세요.

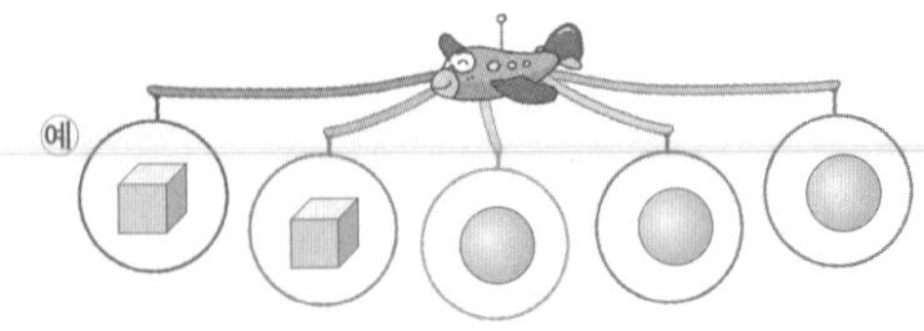
예

✤ 남은 모양은 □ 모양 2개, ○ 모양 3개입니다.

4주 사고력

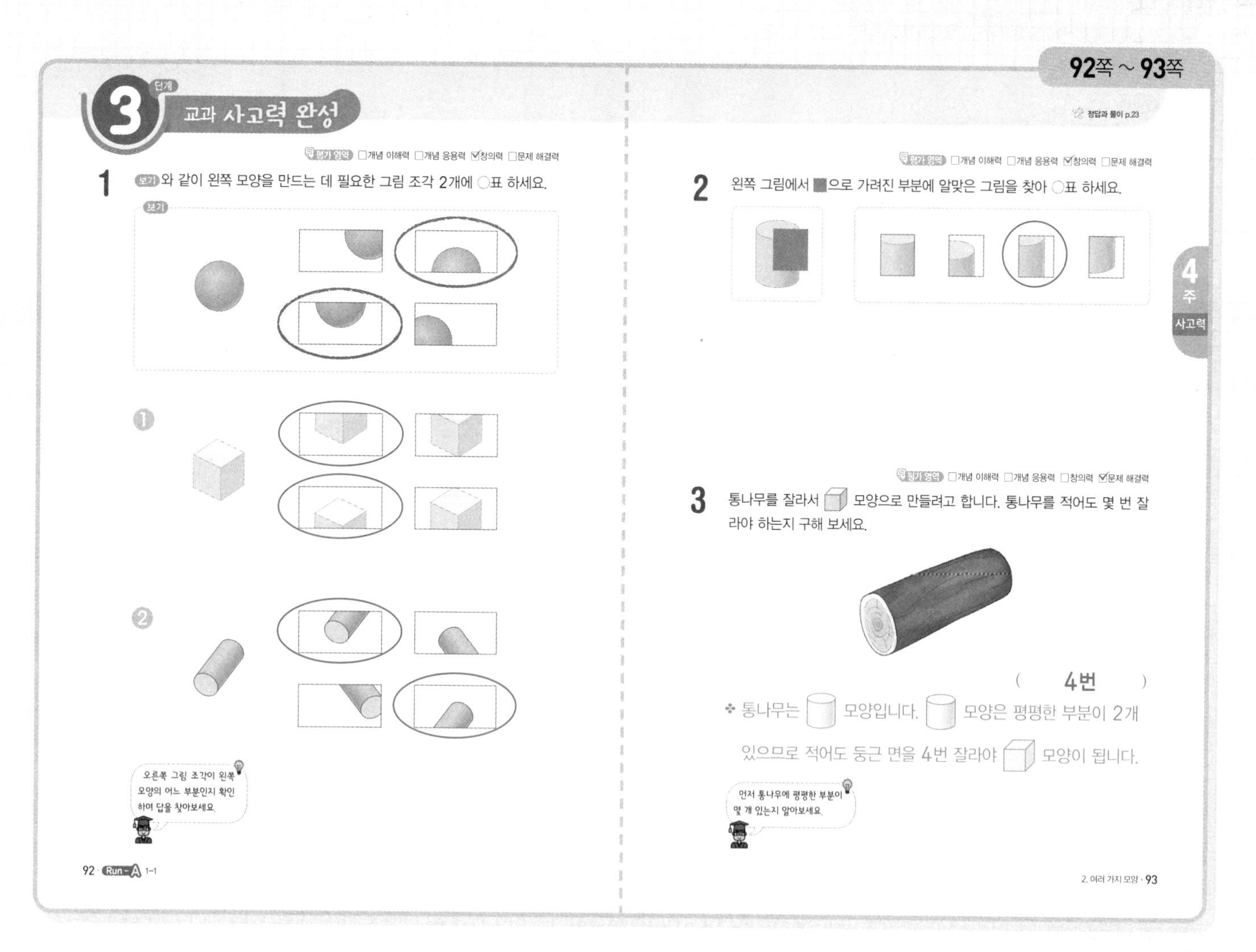
92쪽 ~ 93쪽

3단계 교과 사고력 완성

정답과 풀이 p.23

평가 영역 □개념 이해력 □개념 응용력 ☑창의력 □문제 해결력

1 보기 와 같이 왼쪽 모양을 만드는 데 필요한 그림 조각 2개에 ○표 하세요.

보기

❶

❷

오른쪽 그림 조각이 왼쪽 모양의 어느 부분인지 확인하여 답을 찾아보세요.

평가 영역 □개념 이해력 □개념 응용력 ☑창의력 □문제 해결력

2 왼쪽 그림에서 ■으로 가려진 부분에 알맞은 그림을 찾아 ○표 하세요.

평가 영역 □개념 이해력 □개념 응용력 □창의력 ☑문제 해결력

3 통나무를 잘라서 모양으로 만들려고 합니다. 통나무를 적어도 몇 번 잘라야 하는지 구해 보세요.

(4번)

✤ 통나무는 모양입니다. 모양은 평평한 부분이 2개 있으므로 적어도 둥근 면을 4번 잘라야 모양이 됩니다.

먼저 통나무에 평평한 부분이 몇 개 있는지 알아보세요.

4주 사고력

92 · Run-A 1-1

2. 여러 가지 모양 · 93

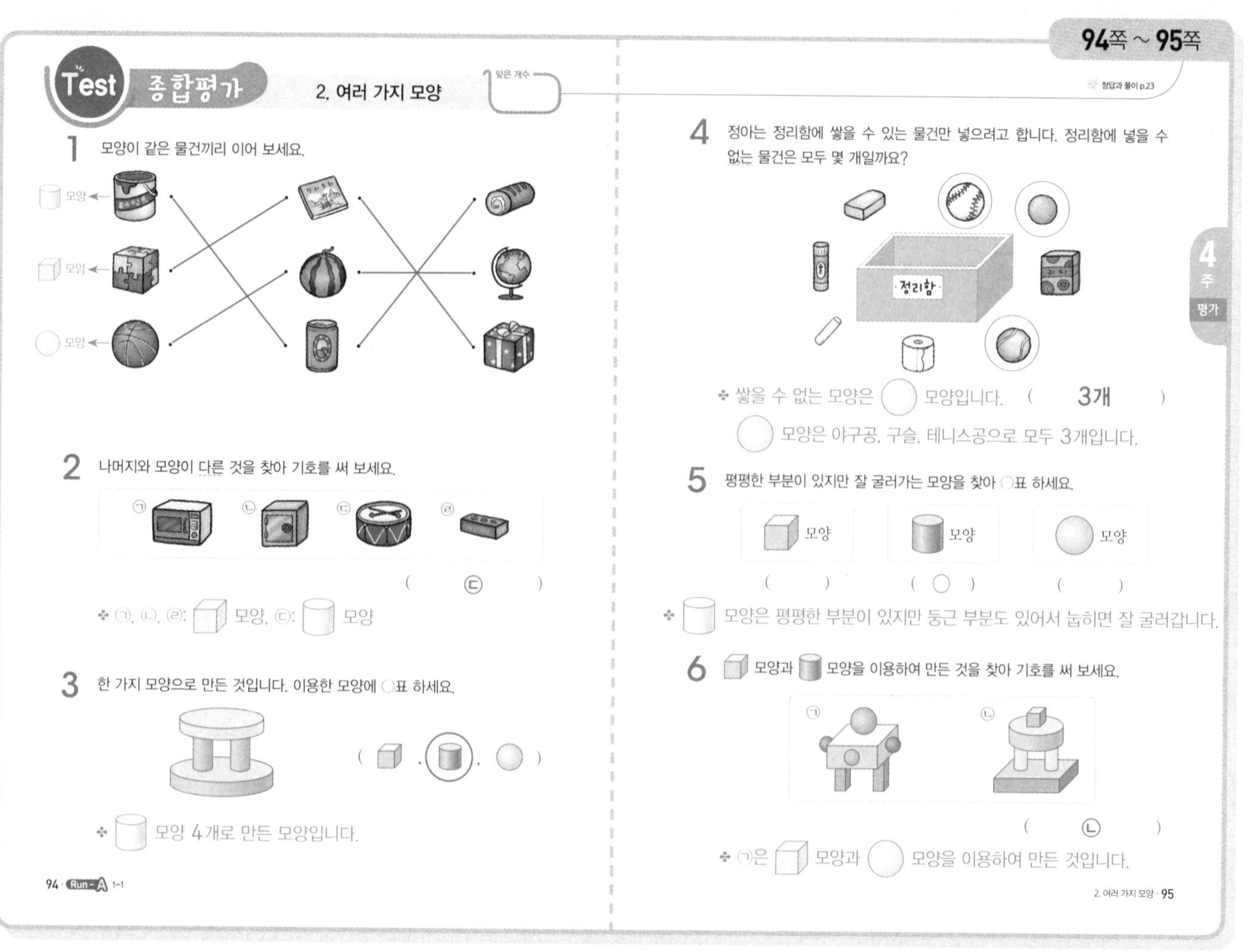
94쪽 ~ 95쪽

Test 종합평가 2. 여러 가지 모양

맞은 개수

정답과 풀이 p.23

1 모양이 같은 물건끼리 이어 보세요.

모양 ←

모양 ←

모양 ←

2 나머지와 모양이 다른 것을 찾아 기호를 써 보세요.

㉠ ㉡ ㉢ ㉣

(㉢)

✤ ㉠, ㉡, ㉣: 모양, ㉢: 모양

3 한 가지 모양으로 만든 것입니다. 이용한 모양에 ○표 하세요.

(, ,)

✤ 모양 4개로 만든 모양입니다.

4 정아는 정리함에 쌓을 수 있는 물건만 넣으려고 합니다. 정리함에 넣을 수 없는 물건은 모두 몇 개일까요?

정리함

✤ 쌓을 수 없는 모양은 모양입니다. (3개)

모양은 야구공, 구슬, 테니스공으로 모두 3개입니다.

5 평평한 부분이 있지만 잘 굴러가는 모양을 찾아 ○표 하세요.

모양	모양	모양
( )	(○)	( )

✤ 모양은 평평한 부분이 있지만 둥근 부분도 있어서 눕히면 잘 굴러갑니다.

6 모양과 모양을 이용하여 만든 것을 찾아 기호를 써 보세요.

㉠ ㉡

(㉡)

✤ ㉠은 모양과 모양을 이용하여 만든 것입니다.

4주 평가

94 · Run-A 1-1

2. 여러 가지 모양 · 95

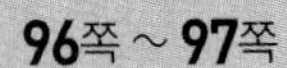

정답과 풀이 p.24

7 모양 4개를 이용하여 만든 모양을 찾아 ○표 하세요.

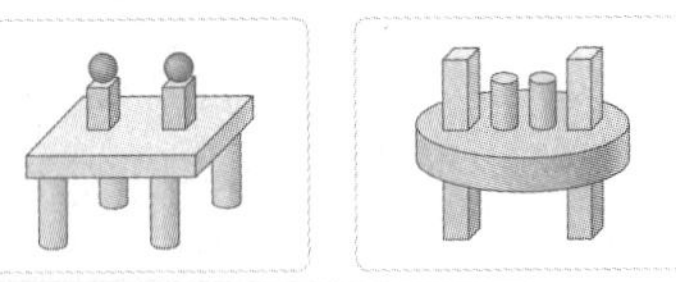

(○) ( )

✤ 왼쪽 모양을 만드는 데 모양 4개, 오른쪽 모양을 만드는 데 모양 3개를 이용했습니다.

8 관계있는 것끼리 선으로 이어 보세요.

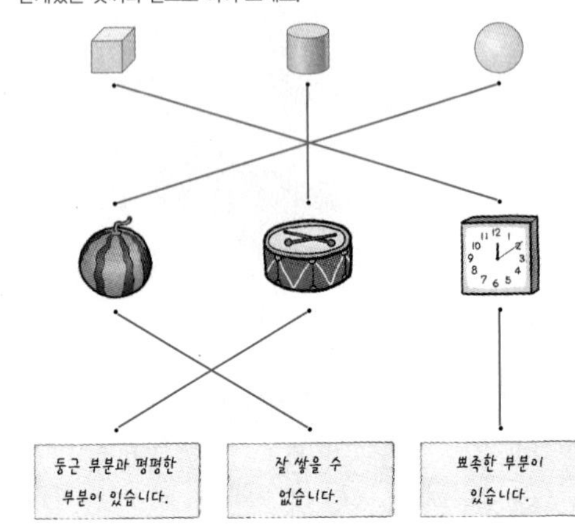

둥근 부분과 평평한 부분이 있습니다.
잘 쌓을 수 없습니다.
뾰족한 부분이 있습니다.

9 주어진 모양을 만드는 데 가장 적게 이용한 모양에 ○표 하세요.

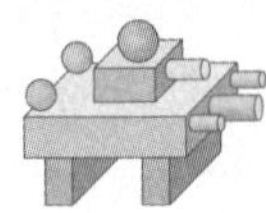

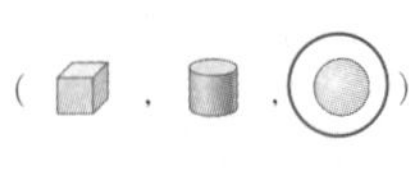

✤ 모양 4개, 모양 4개, 모양 3개를 이용하여 만들었습니다. 4개와 3개 중 3개가 더 적으므로 가장 적게 이용한 모양은 모양입니다.

10 주어진 모양을 모두 이용하여 만든 것을 찾아 이어 보세요.

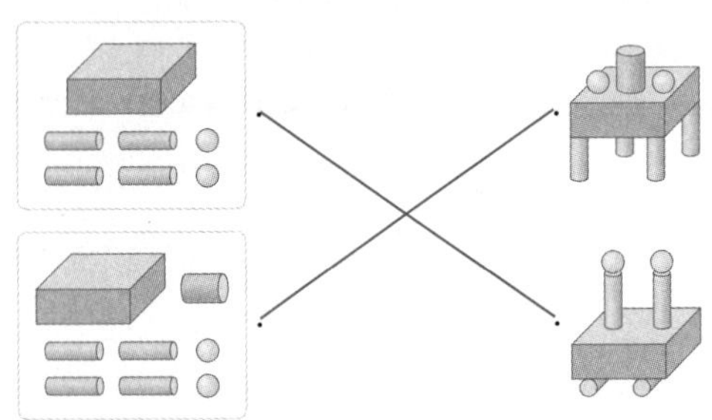

11 규칙에 따라 물건을 놓았습니다. 빈 곳에 들어갈 물건의 모양으로 알맞은 것에 ○표 하세요.

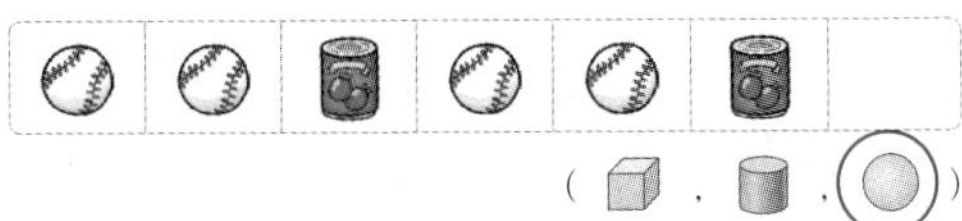

✤ 야구공 ➔ 야구공 ➔ 통조림 캔의 순서로 반복되는 규칙이므로 빈 곳에 들어갈 모양은 야구공이고 야구공은 모양입니다.

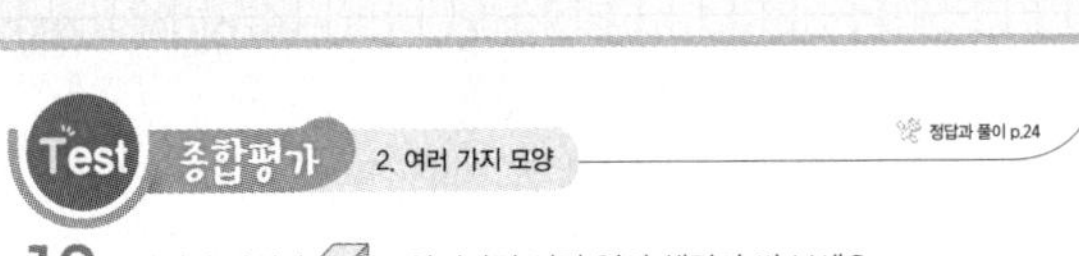

정답과 풀이 p.24

12 자전거 바퀴가 모양이라면 어떤 일이 생길지 써 보세요.

예 모양은 둥근 부분이 없고 평평한 부분만 있습니다. 따라서 자전거 바퀴가 잘 굴러가지 않을 것입니다.

13 지우와 승기 중에서 모양 2개, 모양 3개, 모양 4개를 이용하여 모양을 만든 사람은 누구일까요?

(지우)

✤ 승기는 모양 2개, 모양 4개, 모양 3개를 이용하여 만든 모양입니다.

14 명철이가 가지고 있던 , , 모양으로 다음 모양을 만들었더니 모양 1개와 모양 1개가 남았습니다. 명철이가 처음에 가지고 있던 , , 모양은 각각 몇 개인지 구해 보세요.

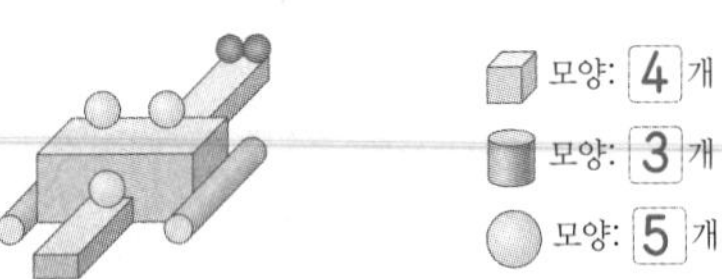

모양: 4 개
모양: 3 개
모양: 5 개

✤ 명철이는 모양 3개, 모양 2개, 모양 5개를 이용하여 만들었습니다. 모양 1개, 모양 1개가 남았으므로 명철이가 처음에 가지고 있던 모양은 4개, 모양은 3개, 모양은 5개입니다.

정답과 풀이 p.24

특강 창의·융합 사고력

1 캣 타워는 고양이가 놀 수 있도록 탑처럼 높게 만든 것으로 고양이의 건강과 정서적 안정에 도움을 주는 물건입니다. 높은 곳, 숨을 곳을 좋아하는 고양이를 위해 캣 타워를 만들려고 합니다. 다음을 보고 물음에 답하세요.

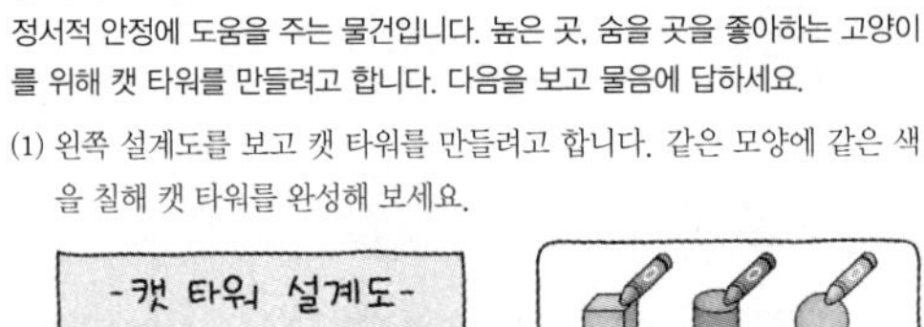

(1) 왼쪽 설계도를 보고 캣 타워를 만들려고 합니다. 같은 모양에 같은 색을 칠해 캣 타워를 완성해 보세요.

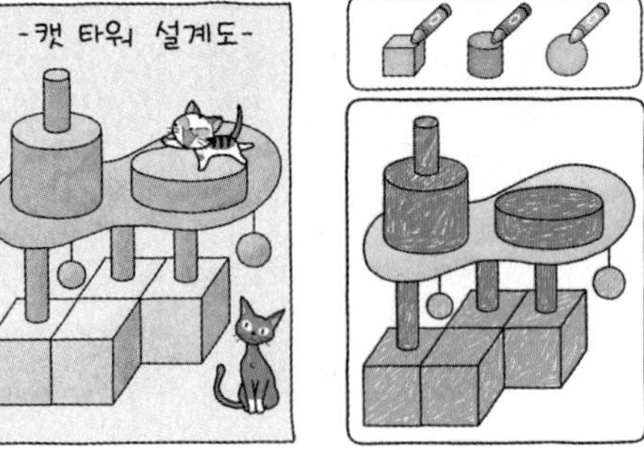

(2) 위의 캣 타워를 만드는 데 , , 모양을 몇 개 이용했는지 세어 보세요.

모양: 4 개, 모양: 6 개, 모양: 2 개